José Amenós
Manuela Gil-Toresano
Inés Soria

Primera edición, 2008

Produce: SGEL - Educación
Avda. Valdelaparra, 29
28108 Alcobendas (MADRID)

Diseño de cubierta: Thomas Hoermann
Maquetación: negra edición gráfica
Ilustraciones: Pablo Torrecilla
Fotografías: Cordon Press, Corbis, Firofoto, Getty Images, Godofoto

ISBN: 978-84-9778-402-3
Depósito legal: M-50974-2008
Printed in Spain - Impreso en España

Impresión: ORYMU

Presentación

AGENCIA ELE es un manual para la enseñanza-aprendizaje de español como lengua extranjera (ELE) basado en el Marco Común Europeo de Referencia. Está dividido en seis niveles que corresponden a A1+, A2, B1.1, B1.2, B2.1 y B2.2., en los que se desarrollan los contenidos que para estos niveles establece el Plan Curricular del Instituto Cervantes.

AGENCIA ELE propone un aprendizaje centrado en la acción, con el que el estudiante adquiere sus competencias pragmática, lingüística y sociolingüística formándose como agente social, hablante intercultural y aprendiente autónomo, de la forma como el MCER y el PCIC describen.

Cada nivel consta de:
- Libro de clase + CD
- Libro de ejercicios + CD
- Libro del profesor
- Material multimedia en internet

El libro del alumno AGENCIA ELE 1 consta de 12 unidades y dos repasos (tras las unidades 6 y 12). La estructura de la unidad es la siguiente:

PORTADA	Una página introductoria para trabajar con imágenes que anticipan los contenidos de la unidad.
PRIMERA LÍNEA	Una doble página de activación de conocimientos y preparación y sensibilización de los nuevos contenidos.
AGENCIA ELE	Una muestra de lengua en forma de cómic, donde se muestran los usos de la lengua por parte de los periodistas de una agencia de noticias llamada Agencia ELE.
ENTRE LÍNEAS	Tareas para consolidar el conocimiento formal y para practicar las actividades comunicativas de la lengua: comprensión, expresión e interacción.
EN LÍNEA CON	Tareas contextualizadas en entornos socioculturales y sugerencias para el desarrollo de las estrategias de aprendizaje y de comunicación donde se aplican los aprendizajes previos.
LÍNEA DIRECTA	La página final ofrece cuadros de sistematización funcional, gramatical y léxica.

1 En español

En esta unidad vamos a aprender:

- A reconocer los sonidos del español y el alfabeto
- Las palabras necesarias para trabajar con este libro
- Frases sencillas para hablar en español en la clase

1. ¿Es español?

a Marca las palabras en español. Habla con tu compañero.

- *«Playa» es español.*
- *Sí. ¿Y «donna»?*
- *No sé.*

👍 → Sí
👎 → No
? → No sé

b Relaciona las palabras en español con las fotos. Escribe y comprueba con tu compañero.

1: p l a y a
2: _ _ _ _ _
3: _ _ _ _ _ _ _ _
4: _ _ _ _ _ _ _ _
5: _ _ _ _ _
6: _ _ _ _ _ _
7: _ _ _ _ _ _ _ _
8: _ _ _ _ _ _
9: _ _ _ _
10: _ _ _ _ _

c Escucha y comprueba. (1)

d ¿Conoces más palabras en español? Escribe una lista con tus compañeros.

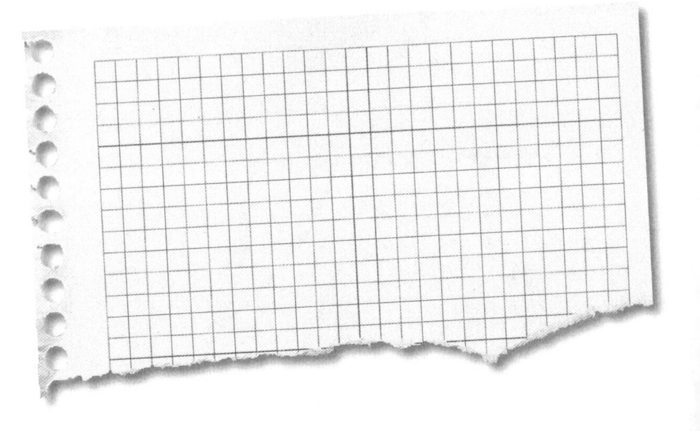

2. Del 10 al 0

a Escribe los números.

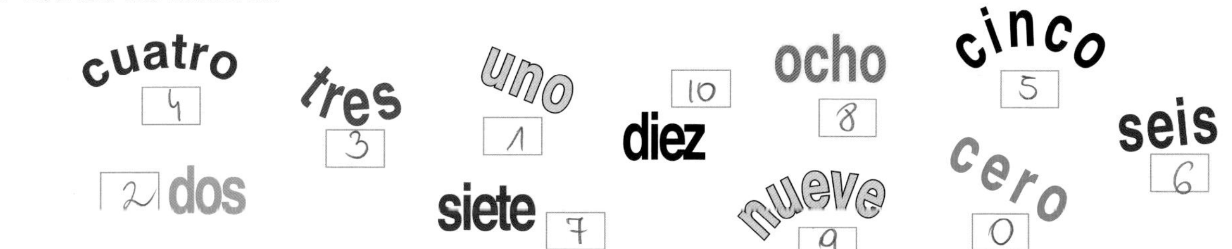

b Escucha y comprueba.

3. Los sonidos del español: las vocales

a Éstas son las vocales del español. Escucha y repite.

a e i o u

b Relaciona las palabras que escuchas con el grupo de vocales correspondiente.

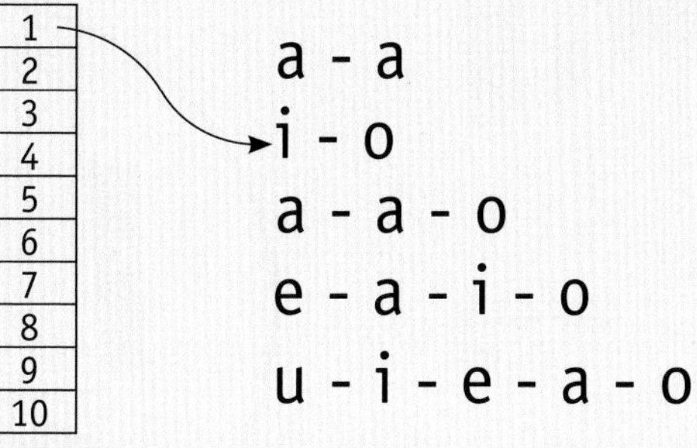

4. Los sonidos del español: las consonantes

a Escucha y observa. Luego escribe ejemplos de cada serie. Busca palabras en las actividades 1 y 2.

						EJEMPLOS
/k/	ca	que	qui	co	cu	*queso,*..............................
/θ/	za	ce	ci	zo	zu	....
/g/	ga	gue	gui	go	gu	....
/x/	ja	ge/je	gi/ji	jo	ju	....

b Escucha las conversaciones. ¿De qué sonido están hablando? Escribe las palabras relacionadas con cada conversación.

Conversación	Palabras relacionadas
1	______ ______
2	______ ______
3	______ ______
4	______ ______ ______
5	______ ______ ______
6	______ ______

c Lee las siguientes palabras:

ejemplo habla región España Chile gente jamón

Ecuador Caracas Argentina Miguel plaza Málaga

5. Instrucciones

a Escribe las instrucciones en el lugar correspondiente.

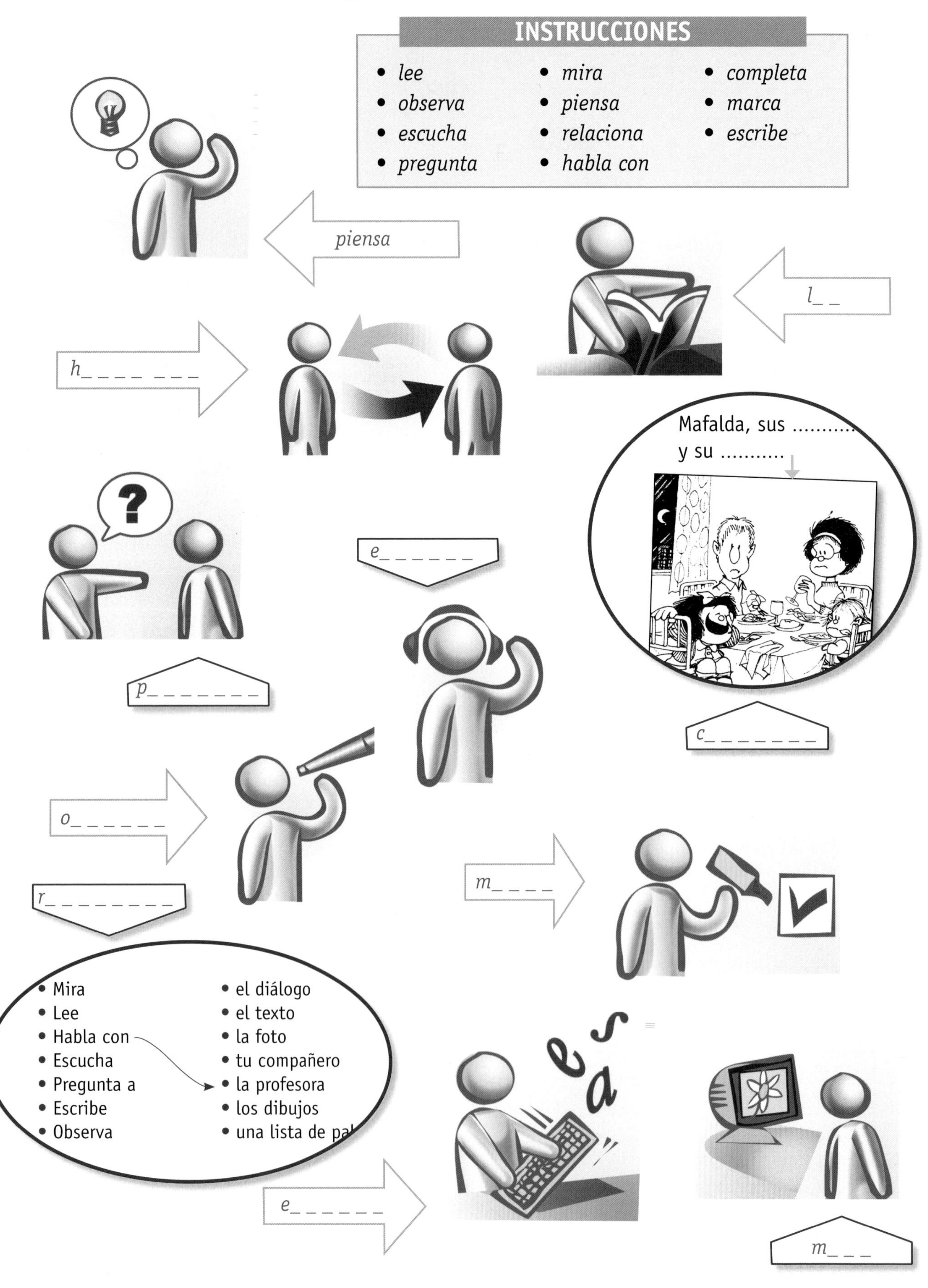

b Completa los cuadros.

Un texto con un título	Siete palabras	Una foto	Dos dibujos

c Relaciona.

- Mira
- Lee
- Habla con
- Escucha
- Pregunta a
- Escribe
- Observa

- el diálogo
- el texto
- la foto
- tu compañero
- la profesora
- los dibujos
- una lista de palabras

6. Masculino y femenino

a Escribe las palabras en el lugar correcto. Habla con tu compañero.

- *El niño*
- *La mujer*
- *La profesora*
- *El compañero*
- *El dibujo*
- *La foto*
- *El texto*
- *La palabra*

Sustantivos masculinos	Sustantivos femeninos
....	....
....	....

7. Singular y plural

a Observa:

SINGULAR		PLURAL
La palabra	⟶	Las palabras
La mujer	⟶	Las mujeres
El niño ①	⟶	Los niños
El profesor	⟶	Los profesores

①

	MASCULINO	FEMENINO
SINGULAR	el niño	la niña
PLURAL	los niños	las niñas

b Escribe el plural. Habla con tu compañero.

La mujer →......................
La guitarra →..................
La foto →........................

El zapato →.....................
El queso →......................
El diálogo →....................

La playa →.......................
La radio →.......................
La plaza →.......................

El texto →.......................
El compañero →...............
El dibujo →......................

- *El plural de «la mujer» es «las mujeres», ¿no?*
- *Sí.*

¿Qué significa «vacaciones»?

7 **a** Paloma de vacaciones por España. Escucha y lee.

1. En clase, en español

a Busca estas frases en el cómic. ¿Quién las dice?

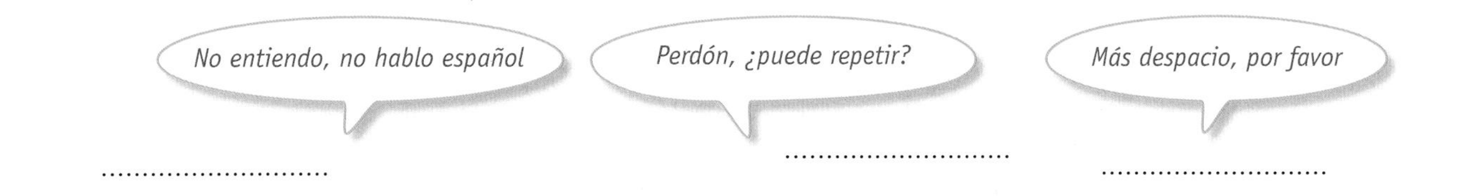

....

b Escucha los diálogos y completa.

c Relaciona preguntas y respuestas. Comprueba con tu compañero.

- ¿Qué significa abecedario?
- ¿Cómo se dice *hello* en español?
- ¿Cómo se escribe «hola»?

- Con hache: hache, o, ele, a.
- *Alphabet*.
- *Hola*.

2. Abcd… abecedario

a El abecedario o alfabeto español tiene 29 letras. Con tu compañero, completa los nombres de las letras que faltan.

ese – zeta – jota – uve – cu – eñe – equis – hache – be

A	B	C	CH	D	E	F	G
a	_ _	*ce*	*che*	*de*	*e*	*efe*	*ge*
H	I	J	K	L	LL	M	N
_ _ _ _ _	*i*	_ _ _ _	*ka*	*ele*	*elle*	*eme*	*ene*
Ñ	O	P	Q	R	S	T	U
_ _ _	*o*	*pe*	_ _	*erre*	_ _ _	*te*	*u*
V	W	X	Y	Z			
_ _ _	*uve doble*	_ _ _ _ _	*i griega*	_ _ _ _			

b Escucha y comprueba.

3. ¿Cómo se escribe?

10 **a** Escucha los diálogos y marca la opción correcta.

Diálogo 1	Diálogo 2	Diálogo 3	Diálogo 4	Diálogo 5
☐ Con hache ☐ Sin hache	☐ Con ge ☐ Con jota	☐ Con elle ☐ Con i griega	☐ Con una erre ☐ Con dos erres	☐ Con zeta ☐ Con ese ....

11 **b** Escucha y escribe la palabra completa en el lugar correspondiente. Después comprueba con tu compañero.

- *Cómo se dice* [helado] *en español?*
- *Helado.*
- *¿Cómo se escribe?*
- *Hache - e - ele - a - de - o.*

4. Países y ciudades en español

12 **a** ¿Cómo se pronuncian? Lee estos nombres de ciudades en español. Después, escucha y comprueba.

LONDRES	PEKÍN	FLORENCIA	JERUSALÉN	ÁMSTERDAM
MANCHESTER	LISBOA	GÉNOVA	MOSCÚ	PARÍS
NUEVA YORK	ATENAS	RABAT	EL CAIRO	RÍO DE JANEIRO

13 **b** Escucha el deletreo y copia los nombres de algunos países de las ciudades anteriores.

1....................	2....................	3....................	4....................	5....................
6....................	7....................	8....................	9....................	10....................

14 **c** Escucha de nuevo y comprueba.

d Juega con tus compañeros al ahorcado de países y capitales en español.

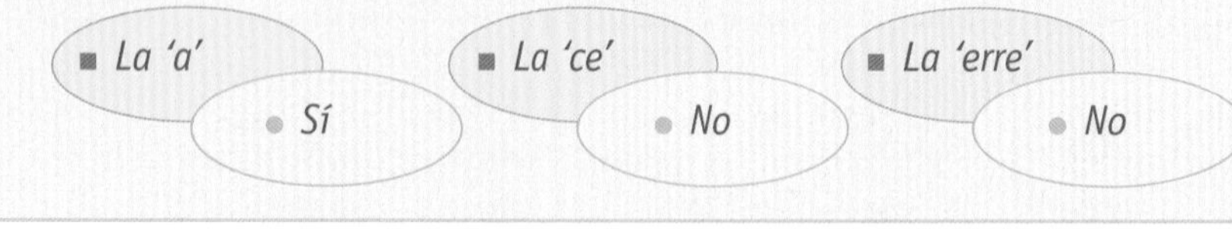

A _ _ _ A _

5. Nombres y correo electrónico

a Escribe los nombres y direcciones de correo electrónico de tus compañeros.

- *¿Nombre?*
- *Idrissa.*
- *¿Cómo se escribe?*
- *I - de - erre - i - ese - ese - a. Con dos eses.*
- *¿Correo electrónico?*
- *idrissa@telenema.com: I - de - erre - i - ese - ese - a, arroba, te - e - ele - e - ene - e - eme - a, punto - com.*

En español:
@ se dice arroba.
x – x se dice guión.
x_x se dice guión bajo.

1. Un mundo en español

a Pregunta a tu profesor o a tu compañero para completar los textos:

b Relaciona las imágenes con estas palabras:

teatro	literatura	arte	cine	vacaciones	cultura	naturaleza

2. Estudiar español, aprender español

a ¿Por qué estudias español? Escribe una lista con tres intereses y compara con tus compañeros.

EJEMPLO Jenny
1. *Cine*
2. *Vacaciones*
3. *Cultura*

Tu nombre: ....
1. ....
2. ....
3. ....

b ¿Cómo puedes aprender más? Relaciona las páginas de internet con estas actividades:

leer	*escuchar*	*hablar*	*estudiar*	*practicar*	*aprender*

1. El abecedario o alfabeto

A a *a*	B b *be*	C c *ce*	CH ch *che*	D d *de*	E e *e*	F f *efe*
G g *ge*	H h *hache*	I i *i*	J j *jota*	K k *ka*	L l *ele*	LL ll *elle*
M m *eme*	N n *ene*	Ñ ñ *eñe*	O o *o*	P p *pe*	Q q *cu*	R r *erre*
S s *ese*	T t *te*	U u *u*	V v *uve*	W w *uve doble*	X x *equis*	Y y *i griega*
Z z *zeta*						

2. Números

0 Cero
1 Uno
2 Dos

3 Tres
4 Cuatro
5 Cinco

6 Seis
7 Siete
8 Ocho

9 Nueve
10 Diez

3. Sustantivos: género (masculino y femenino) y número (singular y plural)

SUSTANTIVOS MASCULINOS

SINGULAR	PLURAL
el niño	los niños
el profesor	los profesores
el texto	los textos

SUSTANTIVOS FEMENINOS

SINGULAR	PLURAL
la niña	las niñas
la mujer	las mujeres
la palabra	las palabras

4. Comunicación en clase

■ No entiendo.	■ ¿Qué significa «cerrado»? ● *Closed*
■ Perdón, ¿puede repetir?	■ ¿Cómo se dice *bye bye* en español? ● Adiós.
■ Más despacio, por favor.	■ ¿Cómo se escribe «gente»? ● Ge-e-ene-te-e.

2 Mucho gusto

En esta unidad vamos a aprender:

- Nombres de lenguas, profesiones y nacionalidades
- Cómo saludar y presentarnos
- A intercambiar información personal

1. Cinco minutos de famosos

a ¿Conoces a estas personas? Lee los titulares y relaciónalos con las secciones del periódico. Luego busca la foto correspondiente.

- *Yo creo que el 3 es de deportes.*
- *¿Sí? ¿Y quién es Rafa Nadal?*
- *Es un tenista español.*
- *¡Ah! Entonces es la foto A*

b Y tú, ¿cómo te llamas? ¿De dónde eres? ¿A qué te dedicas?

2. Nombres y apellidos

15 **a** Escucha al doctor Roldán y completa la lista de las personas que tienen cita hoy.

iCal

martes 19 de abril

8.00	Daniel García ....
8.10	Paula .... Sánchez
8.20	.... Hussein
8.30	.... Carrillo Juárez
8.40	James ....
8.50	.... Fernández
9.00	.... Zapatero ....

Martín *José Luis* *Taylor* *Pons* *Toledo* *Urresti* *Montserrat* *Fátima* *María José*

b Subraya los apellidos de las personas. ¿Cuántos apellidos tienen? ¿Y tú?

3. Ocupación y profesiones

Relaciona los dibujos con las profesiones. Después, completa las listas con las profesiones de la actividad 1.

profesor / a
redactor / a
....

estudiante
....

enfermero / a
camarero / a
funcionario / a
fotógrafo / a
ejecutivo / a
arquitecto / a

médico / a
ingeniero / a
cocinero / a
administrativo / a
....

taxista
dentista
periodista
....
....

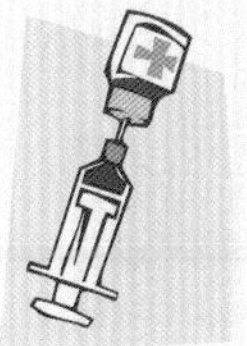

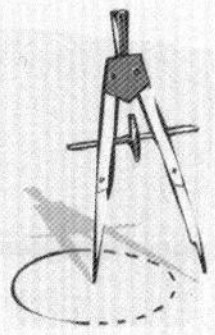

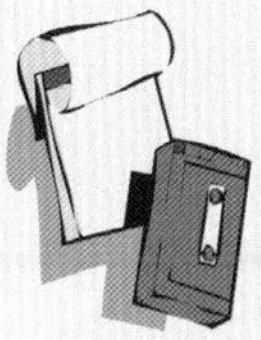

4. Lenguas y nacionalidades

a ¿De dónde son estas banderas?

b ¿Qué lenguas hablan en cada país? ¿Qué lenguas hablas tú?

- *Yo hablo alemán, inglés y un poco de español. ¿Y tú?*
- *Yo, árabe y francés.*

Lenguas

- español
- inglés
- francés
- alemán
- chino
- ruso
- italiano
- japonés
- árabe
- portugués
- polaco
- danés
- ....

El primer día de trabajo de Paloma Martín en la Agencia ELE.

a Es el primer día de trabajo de Paloma Martín. Lee y escucha las conversaciones que mantiene para conocerla a ella y a sus compañeros de trabajo.

1. Saludar, presentar e identificar

Mira otra vez los diálogos de la historieta y completa los cuadros.

Saludar	Presentar a otro	Identificar
■ Hola, ¿qué tal? ● .... ■	■ .... Luis, (1) redactor de Cultura. ● Encantado. (2) ■ .... ■ .... Rocío, la redactora de Sociedad. ● Mucho gusto. ■	■ ¿.............................. Ricardo Cocco? ● Es un músico argentino que vive en Madrid. ■ ¿El señor Ricardo Cocco, por favor? (3) ● Sí, ...

(1)
Masculino: Este
Femenino: Esta

(2)
Masculino: Encantado
Femenino: Encantada

(3)
- Hola. Soy Sergio Montero.
- Yo soy Paloma Martín.
- ¿El señor Cocco, por favor?
- Soy yo.

2. Información personal

Relaciona los elementos de las dos columnas.

1 Hola, me llamo Sergio.
2 ¿Cómo te llamas?
3 ¿A qué te dedicas? / ¿Qué haces?
4 ¿Dónde vives?
5 ¿Vives en Madrid?
6 ¿De dónde eres?
7 ¿Qué idiomas hablas?
8 ¿Estás casado?

a En Madrid, ¿y tú?
b Francés y un poco de árabe.
c Yo, Paloma.
d Pedro Ruiz.
e No, vivo en Las Rozas.
f No, estoy soltero.
g Soy de Barcelona.
h Trabajo en un banco, soy administrativo.

3. Presente de indicativo

Completa las formas de los verbos a partir de la historieta y de las preguntas del ejercicio 2.

	Ser	Hablar	Trabajar
Yo	....	hablo	....
Tú	....	....	trabajas
Usted/él/ella	es	....	....

	Llamarse	Dedicarse	Vivir
Yo	me llamo	me dedico	....
Tú	....	....	....
Usted/él/ella	se llama	se dedica	vive

4. Adjetivos de origen y nacionalidad

a Fíjate en las terminaciones y completa los cuadros.

belga, canadiense, danés/danesa, egipcio/egipcia, español/española, estadounidense, francés/francesa, israelí, italiano/italiana, jordano/jordana, portugués/portuguesa, sueco/sueca.

o/a		Consonante/+ a		No cambia
egipcio	egipcia	danés	danesa	israelí

b Busca otros ejemplos en la unidad y escríbelos en el cuadro.

5. Mis compañeros de clase

a ¿Qué sabes de tus compañeros de clase? Escríbelo aquí.

Nombre	Apellido(s)	Profesión	Nacionalidad	Vive en	Lenguas que habla

b Ahora pregúntale a cada compañero la información que no sabes y escríbela en el cuadro.

- *Oye, ¿cómo te apellidas?*
- *Smith. Y tú, ¿qué idiomas hablas?*
- *Hablo ruso, inglés y un poco de español.*

c Y ahora, escribe este correo electrónico a un amigo español con ayuda de la información del cuadro. Después léeselo a tus compañeros.

Nuevo mensaje

Enviar | Chat | Adjuntar | Agenda | Tipo de letra | Colores | Borrador

Para:

Cc:

Asunto:

¡Hola, ...!

Ya estoy otra vez en casa. ¡Adiós a las vacaciones!

Este año voy a clase de español dos veces por semana. La clase es muy divertida. Mis compañeros son muy simpáticos. ①

Por ejemplo, ... Es de .... y trabaja en ....

Habla ....

¡¡Es muy trabajadora y estudia mucho!! También es muy alegre y simpática.

.... también es muy majo. Es .... y vive en ....

La profesora se llama .... y es .... Explica muy bien y aprendemos mucho. ¡El español es muy divertido!

¿Y tú? ¿Cómo estás? ¡Escríbeme pronto!

Un abrazo, ②

....

① Fíjate en las terminaciones de los adjetivos para saber si se habla de un hombre o de una mujer.

② Fíjate en la manera de empezar y terminar un correo electrónico informal a un amigo en español.

6. Nuevos compañeros

a Elige una de las dos fichas y complétala con la información que quieras. Tu compañero te hará preguntas sobre tu personaje. Luego tú le harás preguntas sobre el suyo.

- ■ *¿Cómo se llama tu personaje?*
- ● *Se llama María de nombre, y Dukakis de apellido.*
- ■ *¿Es griega?*
- ● *Sí.*
- ■ *¿Es tu novia?*
- ● *No, es una amiga.* ①

① Para hablar de relación:
- Es mi novio / -a
- Es un / -a amigo / -a
- Es un / -a compañero / -a de trabajo

Nombre: ....

Apellido(s): ....

Nacionalidad: ....

Profesión: ....

Lugar de residencia: ....

Idiomas: ....

Relación: ....

Nombre: ....

Apellido(s): ....

Nacionalidad: ....

Profesión: ....

Lugar de residencia: ....

Idiomas: ....

Relación: ....

b Imagina que tu compañero es uno de los personajes anteriores. Preséntalo a toda la clase.

- ■ *Esta es María Dukakis. Es profesora de yoga.*
- ● *Hola, ¿qué tal?*
- ◆ *Encantada.*
- ▼ *Bienvenida.*

- ■ *Este es Pedro. Es un amigo.*
- ● *Hola.*
- ◆ *Mucho gusto.*
- ▼ *Encantada.*

7. El personaje misterioso

Este es un juego muy conocido. Piensa en un personaje. Tus compañeros te harán preguntas para adivinarlo. ¡Ojo! Tú solo puedes contestar «sí» o «no».

- ■ *¿Es un hombre o una mujer?*
- ● *Un hombre.*
- ■ *¿Es actor?*
- ● *No.*
- ▼ *¿Es cantante?*
- ● *Sí.*
- ■ *¿Es español?*
- ● *Sí.*
- ▼ *¿Es Alejandro Sanz?*
- ● *¡¡Sí!!*

1. ¿Cómo se llaman los españoles?

a ¿Qué nombres de hombre y de mujer asocias con España? Coméntalo con tu compañero.

- *Para mí, un nombre típico de mujer española es ....*
- *Para mí, un nombre típico de hombre español es ....*

b Lee el siguiente artículo sobre los nombres más frecuentes entre los españoles. ¿Se confirman tus ideas? Después, completa el titular del artículo y las listas con la información del texto.

.... y .... son los nombres más comunes en el siglo XXI

Según el Instituto Nacional de Estadística, los dos nombres de mujer más comunes en España durante el siglo XX fueron María y María del Carmen. En los primeros años del siglo XXI, Lucía es el nombre más frecuente.

En el caso de los varones las preferencias se reparten a lo largo del siglo: durante los primeros cuarenta años el más normal fue José; en los años 50 y 60 el más frecuente era Antonio, y en las dos últimas décadas el preferido fue David. En el siglo XXI empieza el momento de los Alejandros.

En la actualidad, entre los 44 millones de españoles, hay casi tres millones de Marías y seis millones de Antonios.

Los nuevos nombres de moda entre los españoles son: para niñas, Lucía, María y Paula; para los niños, Alejandro, Daniel o Álvaro.

Sólo en regiones con lengua propia se observa la preferencia por nombres autóctonos: Carla o Marc en Cataluña, o Iker e Irati en el País Vasco.

En cuanto a la población de origen extranjero, los latinoamericanos prefieren los nombres compuestos; en concreto, los ecuatorianos eligen Juan Carlos y María Fernanda; los peruanos, Luis Alberto y Ana María; y los colombianos, Sandra Milena y Juan Carlos. Entre los rumanos, los más frecuentes son Ioan y María, y entre los marroquíes, Mohamed y Fátima.

♀	Los ocho favoritos del siglo XX		♂
1	María	....	1
2	....	José	2
3	Carmen	Manuel	3
4	Josefa	Francisco	4
5	Isabel	Juan	5
6	Mª Dolores	José Antonio	6
7	Ana María	David	7
8	Francisca	José Luis	8

♀	...Y los nombres que están de moda en el siglo XXI		♂
1	....	....	1
2	....	Daniel	2
3	Paula	....	3

Adaptado de www.20minutos.es / noticia / 172326 / nombres / as / frecuentes /

c ¿Cuáles son los nombres más frecuentes en tu país? ¿Y cuáles crees que están de moda? Coméntalo con tus compañeros.

- *En mi país, un nombre frecuente para hombre es John. Y para mujer, Anne. Y ahora está de moda Sophie.*

2. Tarjetas con tu nombre

a Lee la información sobre los nombres de Ana y Alejandro y complétala con estas palabras:

alemana
rey
francés
reina
español
médico
actriz

Alejandro

Significado: El protector. De origen griego.
Fecha: 11 de enero (San Alejandro)
Personas célebres y famosas:
Alejandro Magno (......... de Macedonia)
Alexander Graham Bell (..inventor.. del teléfono)
Alexandre Dumas (escritor ....)
Alexander Fleming (................. británico, descubridor de la penicilina)
Alejandro Sanz (cantante ....)

Ana

Significado: Llena de gracia
Fecha: 26 de julio (Santa Ana)
Personas célebres y famosas:
Ana de Austria (..reina.. de España)
Ana Bolena (.......... de Inglaterra)
Anna Freud (psicoanalista ....)
Annie Girardot (........... francesa)

b ¿Qué sabes sobre tu nombre? ¿Y sobre los nombres de tus compañeros? Intenta completar una ficha con la información correspondiente.

....
Significado:................................
Fecha: ....
Personas célebres y famosas:
.... (......................)
.... (......................)
.... (......................)

c Presenta tu ficha a tus compañeros y escribe la información que ellos puedan añadir.

3. Una selección exquisita

a De estos productos, ¿cuáles relacionas con España o con países de Hispanoamérica? Discútelo con tu compañero.

- *Yo relaciono el café con Colombia, ¿tú no?*
- *Sí, y también con Costa Rica.*

17 **b** La *sección del Gourmet* de un supermercado anuncia sus productos. Escúchala y comprueba si tus hipótesis son acertadas. ①

c ¿Qué productos de tu país o región añadirías a la *sección del Gourmet*? Coméntalo con tus compañeros.

① El objetivo es reconocer y comprender algunos elementos de información concreta; no es necesario entender todas las palabras.

1. Saludar y despedirse

Saludar
- ¡Hola!
- ¿Qué tal?
- ¡Hola! ¿Qué tal?
- Buenos días. / Buenas tardes. / Buenas noches.
- Hola, buenos días. / Hola, buenas tardes. / Hola, buenas noches.

Despedirse
- ¡Adiós!
- Adiós, buenos días. / Adiós, buenas tardes. / Adiós, buenas noches.
- Hasta luego.
- Hasta mañana.

2. Pedir y dar información personal

■ ¿Cómo te llamas?
● (Me llamo) Alejandro.

■ ¿Qué haces? / ¿A qué te dedicas?
● Soy | abogado / -a.
profesor / -a.
camarero / -a.
cocinero / -a.

● Trabajo en | un restaurante.
una empresa de transportes.
un banco.

● Estudio
● Soy estudiante de | Medicina.
Económicas.
idiomas.

■ ¿Estás casado? | ● Sí, sí, estoy casado.
● No, estoy soltero.

■ ¿De dónde eres?
● (Soy) | francés / -a.
marroquí.
de Chile.
español, de Barcelona.
de aquí.

■ ¿Dónde vives?
● (Vivo) en | Madrid.
el centro.
la calle Mayor.

■ ¿Qué lenguas / idiomas hablas?
● (Hablo) francés, árabe y un poco de español.

3. Presentar a otra persona

■ Mira (tú) | este es Luis, mi novio.
esta es Silvia, la directora.
te presento a Luis

■ Mire (usted) | este es Luis, el fotógrafo
le presento al señor Ruiz.
esta es la señora García.

● Encantado / -a. ● Mucho gusto. ● Hola, ¿qué tal?

4. Identificar

■ ¿Quién es Ricardo Cocco?
● Es un músico argentino que vive en Madrid.

■ ¿La señora María Jiménez, por favor?
● Sí, soy yo.

5. Presente de indicativo

	Verbos en *-ar*: Hablar, trabajar...		Verbos en *-ar* (reflexivos): Llamarse, dedicarse...		Verbos en *-ir*: vivir	Ser
Yo	hablo	trabajo	me llamo	me dedico	vivo	soy
Tú	hablas	trabajas	te llamas	te dedicas	vives	eres
Usted / él / ella	habla	trabaja	se llama	se dedica	vive	es
Nosotros / nosotras	hablamos	trabajamos	nos llamamos	nos dedicamos	vivimos	somos
Vosotros / vosotras	habláis	trabajáis	os llamáis	os dedicáis	vivís	sois
Ustedes / ellos / ellas	hablan	trabajan	se llaman	se dedican	viven	son

6. Masculino y femenino en adjetivos de nacionalidad

-o / -a		Consonante / + *-a*		No cambia
egipcio	egipcia	español	española	estadounidense
italiano	italiana	francés	francesa	marroquí
jordano	jordana	alemán	alemana	belga

3 De fiesta

Carnaval de Santo Domingo (República Dominicana)

Día de los Muertos (México)

Fiesta de cumpleaños

Feria de Abril de Sevilla (España)

San Fermín (Pamplona, España)

En esta unidad vamos a aprender:

- A intercambiar información personal sobre edad, estado civil, familia, fechas importantes...
- A hablar sobre las personas de la familia
- Algunos datos sobre las fiestas más importantes del calendario español
- Los meses del año y los números de 11 a 100

1. Calendario de fiestas

a Sitúa estas celebraciones en el calendario.

a

Navidad: ....

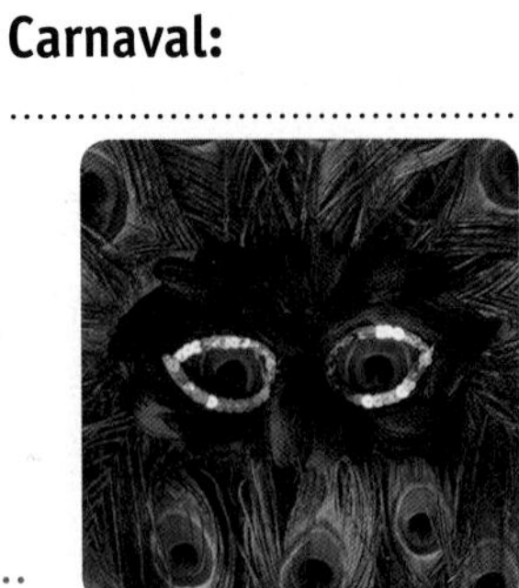

b

Carnaval: ....

c

Tu cumpleaños: ....

d

Una fecha importante para ti: ....

SUGERENCIAS
- Aniversario de boda
- Fecha de nacimiento de un hijo
- Fecha de graduación

- *La Navidad es en diciembre...*
- *Sí, el 25.*
- *¿Y cuándo es tu cumpleaños?*
- *El 2 de junio*

Enero

L	M	X	J	V	S	D
	1	2	3	4	5	6
7	8	9	10	11	12	13
14	15	16	17	18	19	20
21	22	23	24	25	26	27
28	29	30	31			

Febrero

L	M	X	J	V	S	D
				1	2	3
4	5	6	7	8	9	10
11	12	13	14	15	16	17
18	19	20	21	22	23	24
25	26	27	28	29		

Marzo

L	M	X	J	V	S	D
					1	2
3	4	5	6	7	8	9
10	11	12	13	14	15	16
17	18	19	20	21	22	23
24	25	26	27	28	29	30
31						

Abril

L	M	X	J	V	S	D
	1	2	3	4	5	6
7	8	9	10	11	12	13
14	15	16	17	18	19	20
21	22	23	24	25	26	27
28	29	30				

Mayo

L	M	X	J	V	S	D
			1	2	3	4
5	6	7	8	9	10	11
12	13	14	15	16	17	18
19	20	21	22	23	24	25
26	27	28	29	30	31	

Junio

L	M	X	J	V	S	D
						1
2	3	4	5	6	7	8
9	10	11	12	13	14	15
16	17	18	19	20	21	22
23	24	25	26	27	28	29
30						

Julio

L	M	X	J	V	S	D
	1	2	3	4	5	6
7	8	9	10	11	12	13
14	15	16	17	18	19	20
21	22	23	24	25	26	27
28	29	30	31			

Agosto

L	M	X	J	V	S	D
				1	2	3
4	5	6	7	8	9	10
11	12	13	14	15	16	17
18	19	20	21	22	23	24
25	26	27	28	29	30	31

Septiembre

L	M	X	J	V	S	D
1	2	3	4	5	6	7
8	9	10	11	12	13	14
15	16	17	18	19	20	21
22	23	24	25	26	27	28
29	30					

Octubre

L	M	X	J	V	S	D
		1	2	3	4	5
6	7	8	9	10	11	12
13	14	15	16	17	18	19
20	21	22	23	24	25	26
27	28	29	30	31		

Noviembre

L	M	X	J	V	S	D
					1	2
3	4	5	6	7	8	9
10	11	12	13	14	15	16
17	18	19	20	21	22	23
24	25	26	27	28	29	30

Diciembre

L	M	X	J	V	S	D
1	2	3	4	5	6	7
8	9	10	11	12	13	14
15	16	17	18	19	20	21
22	23	24	25	26	27	28
29	30	31				

25 de diciembre: Navidad

11	Once	**16**	Dieciséis	**21**	Veintiuno	**26**	Veintiséis
12	Doce	**17**	Diecisiete	**22**	Veintidós	**27**	Veintisiete
13	Trece	**18**	Dieciocho	**23**	Veintitrés	**28**	Veintiocho
14	Catorce	**19**	Diecinueve	**24**	Veinticuatro	**29**	Veintinueve
15	Quince	**20**	Veinte	**25**	Veinticinco	**30**	Treinta
						31	Treinta y uno

18 **b** Escucha la canción. ¿De qué fiesta habla? ¿Cuándo se celebra?

c ¿Qué fiestas hay en tu ciudad o país? ¿Cuándo son?

2. Números

a Relaciona.

	Noventa	
20	Cuarenta y nueve	62
	Setenta	
30	Veinte	70
	Treinta	
49	Sesenta y dos	81
	Ochenta y uno	
55	Cincuenta y cinco	90

b ¿Qué combinación de billetes y monedas suman estas cantidades? Calcula con tu compañero.

Treinta y cuatro euros
Setenta y nueve euros
Noventa y un euros
Setenta y seis euros

- *Treinta y cuatro euros son un billete de veinte, uno de diez y dos monedas de dos euros.*
- *Sí, o tres billetes de diez y cuatro monedas de un euro.*

3. Números de teléfono

19 Escucha estos dos anuncios de información telefónica y marca los números.

11811 ☐ **11822** ☐ **11888** ☐ **11824** ☐

4. Esta es mi familia

Observa la imagen. ¿Qué texto le corresponde: A o B?

A Aquí estoy yo con mi familia: Mi padre, mi madre, mi abuela María y mi hermano Juan. ¡Ah, y mi tío Carlos!

B Aquí estoy yo con mi familia: Mis abuelos, María y Felipe, mi tío Carlos y mis hermanos Juan y Sonia.

5. Familias famosas

Completa los textos con estas palabras (de familia).

padres	mujer
hermano	hermanos
marido	abuelo
hijo	

Mafalda, sus .... y su ....

Jennifer López y su ....

Carlos de Inglaterra y su ....

El príncipe Felipe y su .... Letizia.

Los .... Schumacher.

Heidi y su ....

La fiesta de la bicicleta

20 **a** Lee y escucha.

b ¿Qué imagen corresponde a la tercera entrevista?

1. Preguntar información personal

Relaciona los elementos de las dos columnas.

- Preguntar el nombre
- Preguntar la edad
- Preguntar la profesión
- Preguntar el estado civil
- Preguntar por la situación familiar

- ¿A qué te dedicas? / ¿A qué se dedica (usted)?
- ¿Cómo te llamas? / ¿Cómo se llama (usted)?
- ¿Cuántos años tienes? / ¿Cuántos años tiene (usted)?
- ¿Cuántos / as hermanos / as tienes? / ¿Tienes hermanos / as?
- ¿Estás casado / a? / ¿Está (usted) casado / a?
- ¿Tienes hijos? / ¿Tiene (usted) hijos?

2. Presentes irregulares

a Mira otra vez los diálogos de la historieta y completa.

Ir

■ .... (*nosotros*) *a hacer un reportaje a la fiesta de la bicicleta.*

● *¿Qué tipo de reportaje?*

■ *Entrevistas para saber por qué (las personas) .... a la fiesta.*

Venir

■ *¿.................... (tú) sola?*

● *No, ... con mis hermanas.*

■ *¿.................... (usted) solo a la fiesta?*

● *No, no, ... con mi nieto.*

■ *¿Por qué .... (vosotras) a la fiesta?*

● *Yo, por el ambiente.*

▼ *Yo, también.*

Tener

■ *¿Cuántos hijos .... (tú)?*

● *.................... dos: Jaime y Natalia.*

■ *¿Cuántos años .... (usted)?*

● *74.*

b Completa las formas de los verbos a partir de la historieta y del cuadro anterior.

	IR	VENIR	TENER
Yo	Voy	....	....
Tú	Vas	....	....
Usted / él / ella	Va	....	....
Nosotros / as	....	Venimos	Tenemos
Vosotros / as	Vais	....	Tenéis
Ustedes / ellos / ellas	....	Vienen	Tienen ①

① En verbos como tener y venir, la e cambia en ie: *vienes, viene, tienen...* Pero en las formas *nosotros / as* y *vosotros / as*, la e no cambia: *venimos, venís, tenemos...*

3. Cuántos / cuántas

Forma dos frases con estas palabras.

cuántas - tiene - hermanos - cuántos - tienes
hijas - usted

1. ¿..?
2. ¿..?

4. Mi / mis o tu / tus

Completa las frases con *mi / mis* o *tu / tus*.

1 ■ *¿Cómo se llama .... mujer?*
● *Sara.*

2 ■ *Pablo, ¿cuántos años tienen .... hijos?*
● *2 y 4.*

3 ■ *¿Con quién vienes a la fiesta?*
● *Vengo con .... hermanas. Son estas.*

4 ■ *.................... novio se llama Antonio.*
● *¿Ah, sí? ¡Se llama igual que .... hermano!*

5 ■ *.................... padres viven en el campo.*

5. Un / una / unos / unas

Mira las frases y completa el cuadro.

Vamos a hacer un reportaje.
¡Es una fiesta muy divertida!
Vengo con unos amigos.
¿Te puedo hacer unas preguntas?

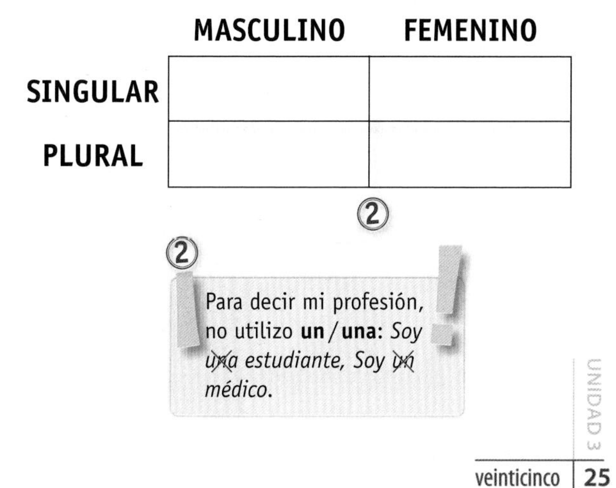

	MASCULINO	FEMENINO
SINGULAR		
PLURAL		

②

② Para decir mi profesión, no utilizo **un / una**: *Soy ~~una~~ estudiante, Soy ~~un~~ médico.*

6. ¿Cómo son?

a ¿Cómo son los personajes? Lee las descripciones y subraya las palabras y expresiones que se refieren al aspecto físico.

Pepe Ruiz tiene 74 años. Está jubilado. Es un poco bajo y gordo. Es calvo y tiene bigote. Tiene los ojos claros. Está casado, tiene dos hijos y un nieto.	Laura tiene 18 años. Es estudiante. Tiene el pelo largo y los ojos azules. Es rubia, muy alta y delgada. Es muy guapa. Está soltera.	María José tiene 42 años. Está divorciada. Es morena, bastante alta y gordita. Tiene los ojos oscuros y el pelo moreno y corto. Está divorciada y tiene dos hijos.

b Copia en los cuadros las palabras y expresiones de aspecto físico que has subrayado.

(1) También se dice: «lleva bigote».

(2) «Un poco» se usa para cosas negativas.

TENER			SER			
	(1) bigote		(2) un poco	bajo		
los	ojos	claros		gordo		

c Elige un personaje y descríbelo a tu compañero. Él tiene que adivinar de qué personaje hablas.

- *Es una chica morena, tiene el pelo corto y es un poco gordita...*
- *¿Es Heidi?*
- *¡Sí!*

Es	(muy / bastante / un poco)	alto / a bajo / a gordo / a guapo / a feo / a delgado / a rubio / a moreno / a calvo / a
Tiene	los ojos	claros oscuros azules negros verdes grises
	el pelo	rubio moreno largo corto
	bigote barba	

7. Un formulario

a Una empresa de parques infantiles tiene ofertas especiales para familias. Lee este formulario de internet. ¿A qué personas de tu familia eliges tú para incluir en la oferta? Coméntalo con tu compañero.

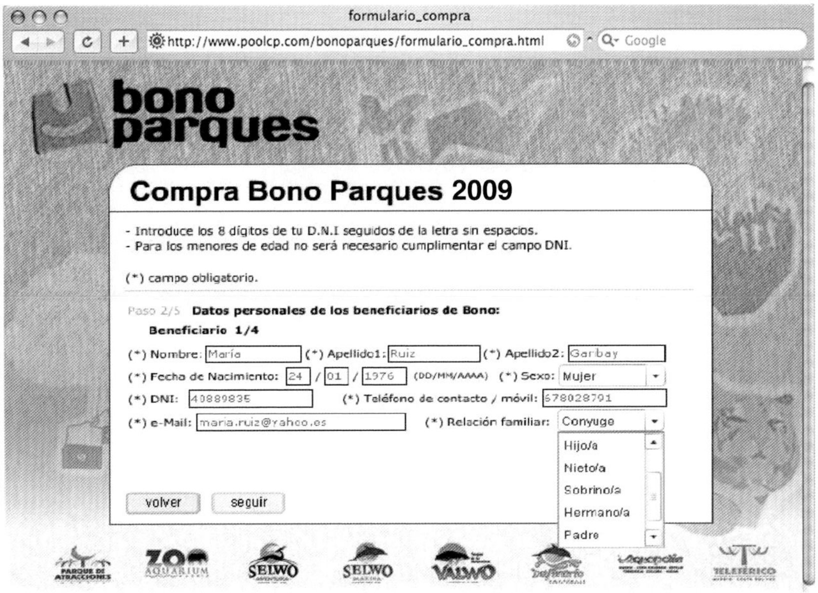

formulario_compra

http://www.poolcp.com/bonoparques/formulario_compra.html

bono parques

Compra Bono Parques 2009

- Introduce los 8 dígitos de tu D.N.I seguidos de la letra sin espacios.
- Para los menores de edad no será necesario cumplimentar el campo DNI.

(*) campo obligatorio.

Paso 2/5 **Datos personales de los beneficiarios de Bono:**

Beneficiario 1/4

(*) Nombre: María (*) Apellido1: Ruiz (*) Apellido2: Garbay

(*) Fecha de Nacimiento: 24 / 01 / 1976 (DD/MM/AAAA) (*) Sexo: Mujer

(*) DNI: 40889835 (*) Teléfono de contacto / móvil: 678028791

(*) e-Mail: maria.ruiz@yahoo.es (*) Relación familiar: Conyuge

Hijo/a
Nieto/a
Sobrino/a
Hermano/a
Padre

volver seguir

■ *Yo, a mi marido y a mis dos hijas pequeñas.*

● *Pues yo, a mi hermano pequeño y a mi sobrina.*

b Y ahora, rellena el formulario con información de una persona de tu familia.

bono parques

- Introduce los 8 dígitos de tu DNI seguidos de la letra sin espacios.
- Para los menores de edad no será necesario cumplimentar el campo DNI.

(*) campo obigatorio.

Paso 2/5 **Datos personales de los beneficiarios del Bono:**

Beneficiario 1/1

(*) Nombre: ______ (*) Apellido 1: ______ Apellido 2: ______

(*) Fecha de nacimiento: __ / __ / ____ (DD/MM/AAAA) (*) Sexo: Hombre / Mujer

(*) DNI: ______ (*) Teléfono de contacto/móvil: ______

(*) e-Mail: ______ (*) Relación familiar: Hermana

volver seguir

8. Mi familia

a ¿Cómo es la familia de tu compañero? Pregúntale y toma notas.

■ *¿Cuántos hermanos sois?*

● *Tres: dos chicos y una chica. Yo soy la mediana.*

■ *Yo no tengo hermanos. Soy hijo único.*

Mi Tu Su	padre madre hermano / a abuelo / a ...
Mis Tus Sus	padres sobrinos / as primos / as

b Ahora cuenta a toda la clase la información de tu compañero.

■ *Xiao está soltero. Vive con sus padres y su abuela. Tiene una hermana mayor: Jie. La hermana de Xiao tiene 22 años y está casada...*

La revolución familiar

TÍTULO ... TEXTO N.º ...

«Nos sentimos padres de dos chicos españoles y de una niña china, es una cosa muy especial.»

TÍTULO ... TEXTO N.º ...

«No hay padre, mi familia somos mi hija y yo».

«Nos amamos, nos hacemos bien, crecemos juntos. Es la base de la familia».

TÍTULO ... TEXTO Nº ...

«Sí, nuestra casa es un lío. Pero somos felices».

TÍTULO ... TEXTO N.º ...

B Mira las fotografías y las frases que las acompañan. Son nuevos tipos de familia en la España actual. ¿Qué título y qué texto corresponde a cada foto?

Títulos	a familia biológica / adoptiva b familia homoparental c familia monoparental d familia reconstituida

Textos

1. Ángela Bautista (periodista) tuvo a su hija Ana por inseminación artificial, de donante anónimo. Ángela tiene pareja, pero no viven juntos.
2. José y Lourdes viven juntos con Jana, Elio, Marina y Vera. Jana y Elio son hijos de ella. Marina es hija de José y de su ex mujer. Vera es hija de los dos. Novios a los 20 años, José y Lourdes se reencontraron casi a los 40, separados y con hijos. Pero, como dice el tango, «20 años no es nada» y volvieron a enamorarse.
3. Julia (diseñadora gráfica) y Esther (cocinera) viven juntas. Teo y Julia, mellizos, son hijos biológicos de Esther. Julia los adoptará tras su boda.
4. La adopción de Yun *–hierba*, en chino– fue aventura familiar. «Queríamos otro hijo, pero con 44 años no queríamos otro embarazo. Ahora somos una familia. Más allá de la sangre está el amor .»

¡ En las revistas generalmente hay fotos y dibujos. Mirarlos ayuda a comprender los textos escritos. !

A ¿Cómo es una familia típica de tu país? ¿Existe un modelo tradicional de familia? ¿Y modelos nuevos?

- *En mi país una familia normal es un matrimonio con dos o tres hijos. Por ejemplo, mi familia; somos dos hermanas y mis padres.*
- *Pues en mi país, las parejas no se casan...*
- *Y en mi país, las mujeres se casan muy jóvenes...*

C Piensa en personas de tu entorno. ¿Cómo es su familia? ¿A qué foto se parecen más?

- *Mi amiga María está soltera y tiene una hija.*
- *Mis vecinos tienen dos hijos, pero la mujer tiene otro hijo de su primer marido.*

D ¿Existen todos estos tipos de familia en tu país? ¿Son frecuentes? Coméntalo con tus compañeros.

- *En mi país, no hay familias homoparentales...*

Adaptado de *El País Semanal*

2. Una fiesta española: las Fallas de Valencia

a Lee este texto sobre una fiesta española muy popular: las Fallas.

Un poco de historia

La palabra «falla» viene de la palabra latina facula (*antorcha*). La víspera de San José se hacían hogueras para anunciar su festividad. Esta práctica ritual recibe el nombre de Falla. Las Fallas las inició en Valencia el gremio* de carpinteros, que quemaban en una hoguera, en la víspera del día de su patrón San José, las cosas que no necesitaban. Hoy se queman imágenes satíricas de las cosas malas del año anterior. También hay fuegos artificiales. Es una forma de recibir la primavera, de empezar de nuevo.

* En Europa, en la Edad Media, un **gremio** es una asociación profesional de artesanos.

b Completa

c Marca qué informaciones de la lista están en el texto.

1. La palabra «falla» viene del latín. ☐
2. El origen de la palabra «falla» tiene relación con el fuego. ☐
3. El fuego es un elemento muy importante en las civilizaciones. ☐
4. En el origen, las Fallas son la fiesta de un gremio de artesanos carpinteros. ☐
5. Las Fallas se celebran en Valencia. ☐
6. Las Fallas se celebran alrededor del día 19 de marzo. ☐
7. Las Fallas anuncian la entrada de la primavera. ☐
8. Las Fallas son actualmente una forma de expresión artística. ☐
9. En las Fallas se queman imágenes que representan las cosas malas del año. ☐

21 **c** Escucha esta entrevista sobre las Fallas. ¿Qué informaciones de la lista anterior aparecen? ①

① Lee otra vez las frases de la lista antes de escuchar. Tener información sobre el tema y pensar en las cosas que se van a decir ayuda a entender mejor.

d ¿Conoces otras fiestas...

... relacionadas con el fuego?
... relacionadas con el cambio de estación?
... relacionadas con la naturaleza?
... relacionadas con un producto típico?
... de contenido satírico?

- *El Carnaval es una fiesta de contenido satírico, ¿no?*
- *Sí, es verdad, y también celebra el principio de la primavera.*

Otoño

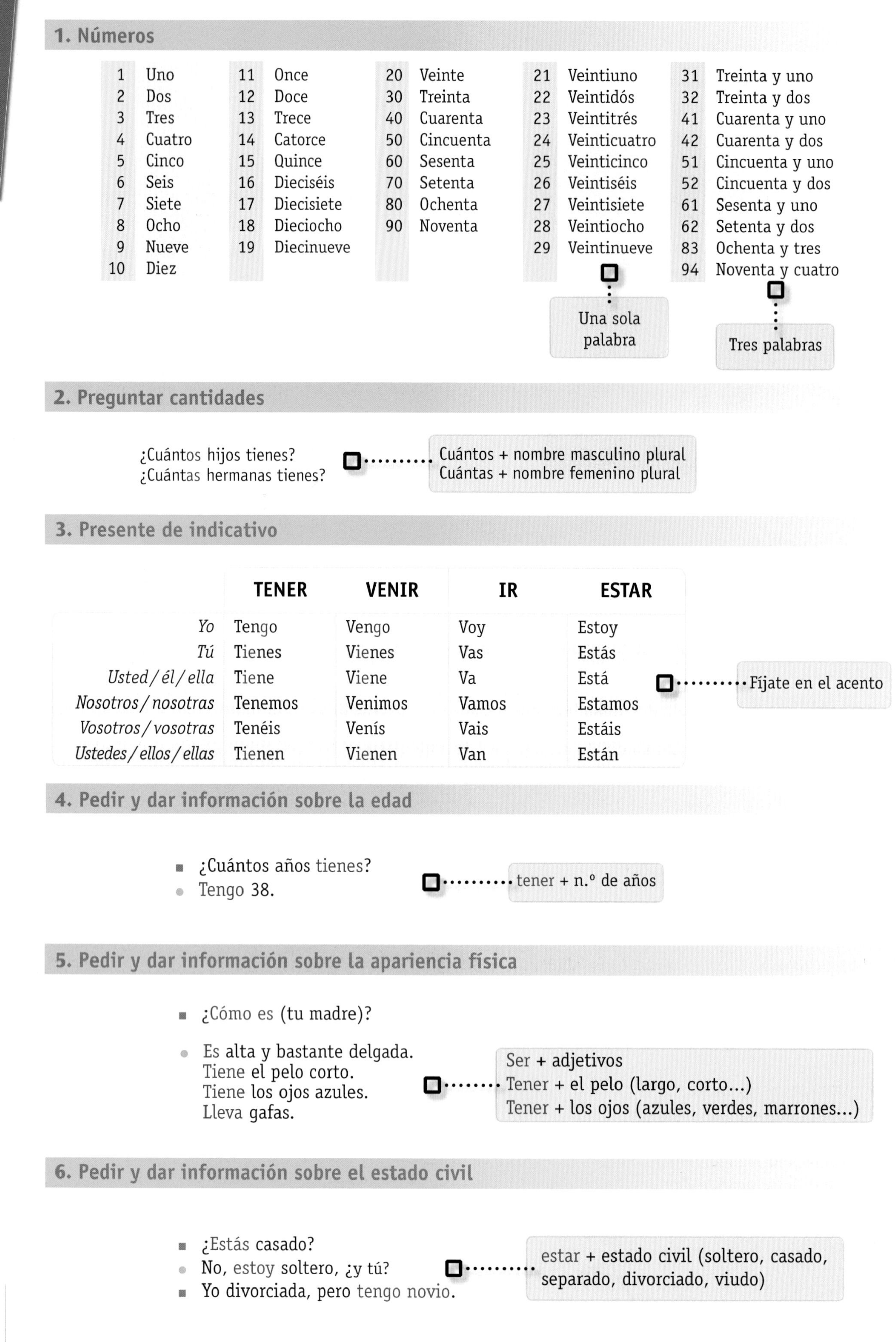

1. Números

1	Uno	11	Once	20	Veinte	21	Veintiuno	31	Treinta y uno
2	Dos	12	Doce	30	Treinta	22	Veintidós	32	Treinta y dos
3	Tres	13	Trece	40	Cuarenta	23	Veintitrés	41	Cuarenta y uno
4	Cuatro	14	Catorce	50	Cincuenta	24	Veinticuatro	42	Cuarenta y dos
5	Cinco	15	Quince	60	Sesenta	25	Veinticinco	51	Cincuenta y uno
6	Seis	16	Dieciséis	70	Setenta	26	Veintiséis	52	Cincuenta y dos
7	Siete	17	Diecisiete	80	Ochenta	27	Veintisiete	61	Sesenta y uno
8	Ocho	18	Dieciocho	90	Noventa	28	Veintiocho	62	Setenta y dos
9	Nueve	19	Diecinueve			29	Veintinueve	83	Ochenta y tres
10	Diez							94	Noventa y cuatro

Una sola palabra

Tres palabras

2. Preguntar cantidades

¿Cuántos hijos tienes?
¿Cuántas hermanas tienes?

Cuántos + nombre masculino plural
Cuántas + nombre femenino plural

3. Presente de indicativo

	TENER	VENIR	IR	ESTAR
Yo	Tengo	Vengo	Voy	Estoy
Tú	Tienes	Vienes	Vas	Estás
Usted/él/ella	Tiene	Viene	Va	Está
Nosotros/nosotras	Tenemos	Venimos	Vamos	Estamos
Vosotros/vosotras	Tenéis	Venís	Vais	Estáis
Ustedes/ellos/ellas	Tienen	Vienen	Van	Están

Fíjate en el acento

4. Pedir y dar información sobre la edad

- ¿Cuántos años tienes?
- Tengo 38.

tener + n.º de años

5. Pedir y dar información sobre la apariencia física

- ¿Cómo es (tu madre)?
- Es alta y bastante delgada.
  Tiene el pelo corto.
  Tiene los ojos azules.
  Lleva gafas.

Ser + adjetivos
Tener + el pelo (largo, corto...)
Tener + los ojos (azules, verdes, marrones...)

6. Pedir y dar información sobre el estado civil

- ¿Estás casado?
- No, estoy soltero, ¿y tú?
- Yo divorciada, pero tengo novio.

estar + estado civil (soltero, casado, separado, divorciado, viudo)

4 ¡Buen fin de semana!

En esta unidad vamos a aprender a:

- Hablar sobre hábitos de ocio y tiempo libre
- Contrastar gustos y preferencias sobre actividades culturales, deportivas, etc.
- Proponer a alguien una actividad de fin de semana y acordarla juntos
- Comprender documentos con información sobre tipos de espectáculos y otras actividades de tiempo libre

1. ¿Cine o teatro?

a Lee este cuestionario y las respuestas de los trabajadores de la Agencia ELE. ¿Qué personaje te parece más interesante?

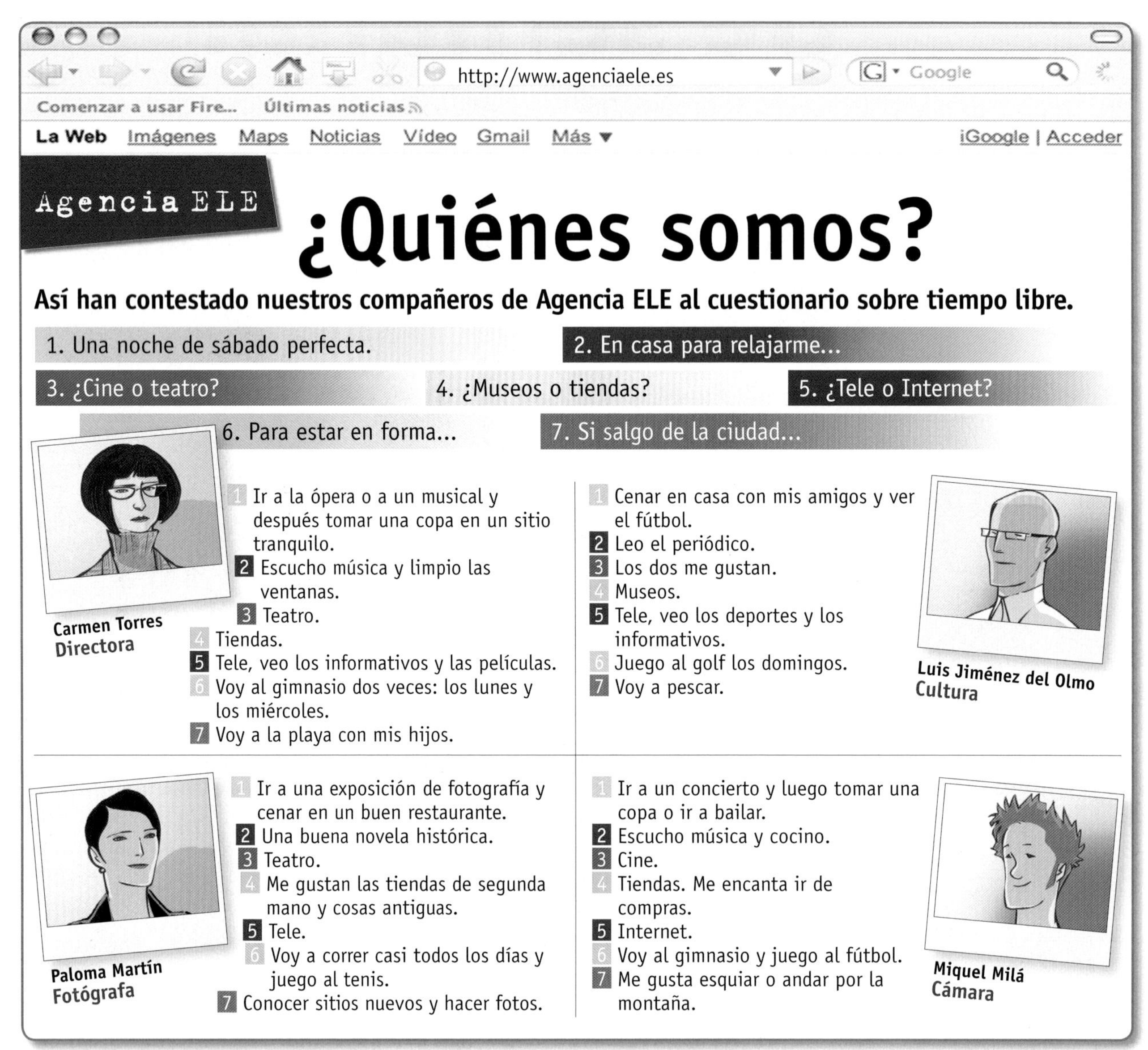

Agencia ELE

¿Quiénes somos?

Así han contestado nuestros compañeros de Agencia ELE al cuestionario sobre tiempo libre.

1. Una noche de sábado perfecta.
2. En casa para relajarme...
3. ¿Cine o teatro?
4. ¿Museos o tiendas?
5. ¿Tele o Internet?
6. Para estar en forma...
7. Si salgo de la ciudad...

Carmen Torres
Directora

1. Ir a la ópera o a un musical y después tomar una copa en un sitio tranquilo.
2. Escucho música y limpio las ventanas.
3. Teatro.
4. Tiendas.
5. Tele, veo los informativos y las películas.
6. Voy al gimnasio dos veces: los lunes y los miércoles.
7. Voy a la playa con mis hijos.

Luis Jiménez del Olmo
Cultura

1. Cenar en casa con mis amigos y ver el fútbol.
2. Leo el periódico.
3. Los dos me gustan.
4. Museos.
5. Tele, veo los deportes y los informativos.
6. Juego al golf los domingos.
7. Voy a pescar.

Paloma Martín
Fotógrafa

1. Ir a una exposición de fotografía y cenar en un buen restaurante.
2. Una buena novela histórica.
3. Teatro.
4. Me gustan las tiendas de segunda mano y cosas antiguas.
5. Tele.
6. Voy a correr casi todos los días y juego al tenis.
7. Conocer sitios nuevos y hacer fotos.

Miquel Milá
Cámara

1. Ir a un concierto y luego tomar una copa o ir a bailar.
2. Escucho música y cocino.
3. Cine.
4. Tiendas. Me encanta ir de compras.
5. Internet.
6. Voy al gimnasio y juego al fútbol.
7. Me gusta esquiar o andar por la montaña.

b ¿Quién realiza esta actividad?

c ¿Y tú? Contesta el cuestionario y comenta tus respuestas con la clase.

- *Voy al gimnasio los lunes y los miércoles y juego al tenis el domingo.*

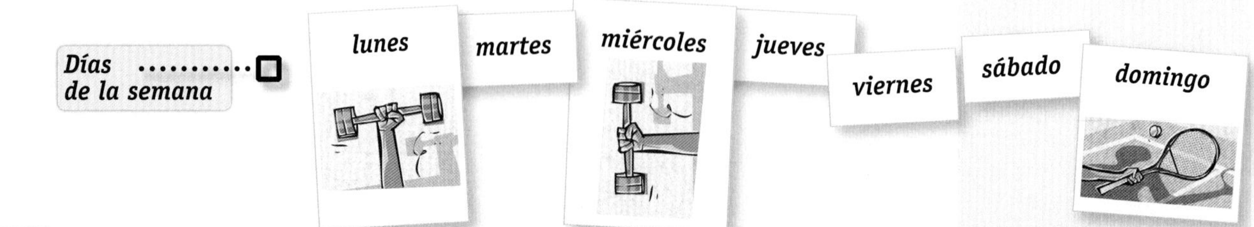

2. Actividades de tiempo libre

a Lee este anuncio de Internet y mira las actividades y los servicios que se proponen.

b Marca en la lista las cosas que puedes hacer en el *camping*.

- ☐ Descansar
- ☐ Hacer gimnasia
- ☐ Hacer la compra
- ☐ Hacer submarinismo
- ☐ Ir a bailar
- ☐ Ir a un concierto
- ☐ Ir a un restaurante
- ☐ Ir al cine
- ☐ Ir al teatro
- ☐ Ir de excursión
- ☐ Jugar al baloncesto
- ☐ Jugar al fútbol
- ☐ Jugar al golf
- ☐ Jugar al tenis
- ☐ Llevar animales
- ☐ Nadar
- ☐ Navegar
- ☐ Pescar
- ☐ Andar por la montaña
- ☐ Ver la televisión
- ☐ Visitar monumentos
- ☐ Visitar museos

c ¿Qué actividades de la lista haces? ¿Haces otras actividades que no están en la lista? Pregunta a tu profesor cómo se llaman en español.

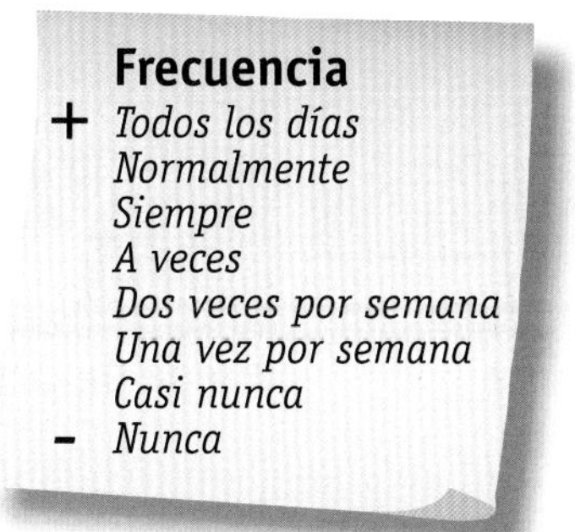

d ¿Con qué frecuencia haces tus actividades favoritas? Habla con tu compañero.

- *Voy dos o tres veces por semana al cine. Pero no hago deporte casi nunca. ¡No tengo tiempo!* ①
- *Yo voy a correr casi todos los días, juego a fútbol una vez por semana y a veces voy de excursión los fines de semana.*

①

En el festival de cine de San Sebastián

22 **a** Lee y escucha.

b Relaciona estas fotos con los diálogos. ¿Qué fotos toma Paloma?

Taberna vasca

Woody Allen tocando el clarinete

Casco viejo de San Sebastián

Rueda de prensa

1. ¿Te gusta?

a ¿Qué personaje de Agencia ELE dice estas cosas? Lee otra vez la información de la página 32 y la conversación de la página 34.

	Persona de Agencia ELE
1. *Me gustan las películas de ciencia ficción*	....
2. *Me gustan las comedias*	....
3. *Me gusta esquiar y andar por la montaña*	....
4. *Me gusta el cine argentino*	....
5. *Me encanta el cine fantástico*	....
6. *Me gustan las tiendas de segunda mano*	....
7. *Me encantan los pinchos vascos*	....
8. *Me encanta ir de compras*	....

b Observa las formas verbales de las frases anteriores y completa los siguientes ejemplos:

Me [   ] leer el periódico

Me [   ] la música clásica

Me [   ] los programas musicales

Verbo gustar

Me / Te gusta esquiar
gusta el cine ← singular

gustan las comedias ← plural

c Escribe las preguntas y practica con tu compañero.

¿Te gusta el cine fantástico?
¿Te gustan las películas de ciencia ficción?
¿...................... *las comedias?*
¿...................... *esquiar y andar por la montaña?*
¿...................... *las tiendas de segunda mano?*
¿..?
¿..?
¿..?
¿..?

①

① **En la respuesta:**
Sí, me gustan
No, no me gustan

2. ¿Qué prefieres?

23

a Ordena las intervenciones del siguiente diálogo

1. *¿Quieres ir al cine esta tarde?*
2. ....
3. ....
4. ....
5. ....
6. ....

- *¿Qué prefieres, una argentina o la de Woody Allen?*
- *¿Quieres ir al cine esta tarde?*
- *No sé... si quieres vemos la última de Guillermo del Toro.*
- *Ah, sí, vale, ¿y qué película quieres ver?*
- *Pues... ¡puff! ... yo prefiero una comedia.*
- *Mejor la argentina.*

b Escucha y comprueba tu respuesta.

c Observa el diálogo anterior y completa con la palabra o expresión adecuada.

Para preguntar por preferencias	¿Qué ...., una comedia o una película romántica?
Para proponer una actividad	¿............................... ir al cine?

d Completa.

PREFERIR

Yo	....
Tú	....
Él	prefiere
Nosotros	preferimos
Vosotros	preferís
Ellos	prefieren

QUERER

Yo	....
Tú	....
Él	quiere
Nosotros	....
Vosotros	queréis
Ellos	....

①

① ¿Recuerdas los verbos *venir* y *tener* de la Unidad 3? ¿Qué tienen en común con estos?

3. ¿Sabes quién...?

a Pregunta a tus compañeros y completa el cuadro.

Actividad	Persona de la clase
Hacer gimnasia dos veces a la semana	
Hacer submarinismo	
No ir al teatro nunca	
Jugar al fútbol	
Salir por la noche los fines de semana	
No ver la televisión casi nunca	
Hacer fotos	
Leer novelas policíacas	

Hacer
Yo hago
Tú haces

Salir
Yo salgo
Tú sales

Jugar
Yo juego
Tú juegas

- *¿Haces gimnasia dos veces por semana?*
- *No, no hago gimnasia, ¿y tú?*
- *Yo sí, pero solo una vez por semana.*

4. ¿Te gusta el arte?

Comenta tus gustos y preferencias con un compañero.

- *¿Te gusta Picasso?*
- *No, no me gusta nada, ¿y a ti?*
- *Sí, me gusta bastante.*

- *¿Qué prefieres, Botero o Chillida?*
- *Prefiero Botero, pero me gustan los dos.*

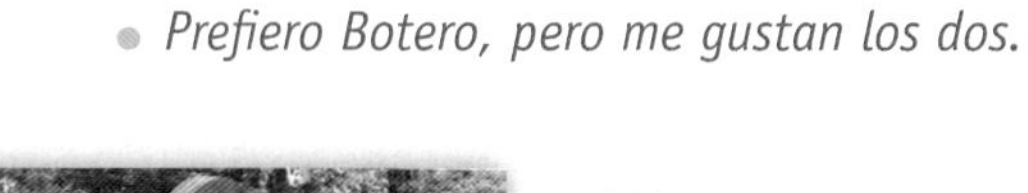

***Mujer sentada* (Picasso)**

La Alhambra

***Berlín* (Chillida)**

***La rendición de Breda* (Velázquez)**

***Torso masculino* (Botero)**

Museo Guggenheim

¡Me encanta!
Me gusta mucho
Me gusta bastante
No me gusta mucho
No me gusta nada

5. Tiempo libre organizado

a Lee el cartel del centro municipal de tiempo libre. ¿Qué actividades crees que se hacen en cada sección? Coméntalo con tu compañero.

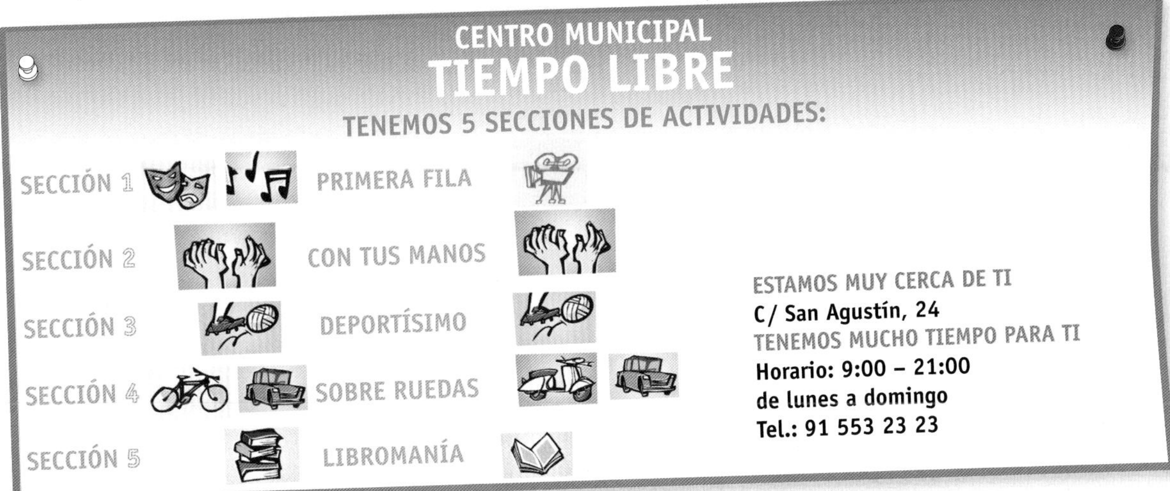

■ *En la sección* Primera Fila *van al teatro ¿no?* ● *Sí, y también a conciertos.*

b Escucha a los organizadores de dos secciones que participan en un programa de radio. ¿De qué secciones hablan? ¿Qué actividades realizan?

c ¿Qué sección prefieres? ¿Y tu compañero?

6. Planes y propuestas

a Recibes esta nota con una propuesta para el fin de semana, ¿qué contestas?

"EL ESPECTÁCULO DE MAYOR ÉXITO EN LA HISTORIA DE NUESTRO PAÍS"
HOY NO ME PUEDO LEVANTAR
un musical de NACHO CANO
Letra y Música: José Mª Cano y Nacho Cano Productores: José M. Lorenzo y Ángel Suárez Argumento: David Serrano

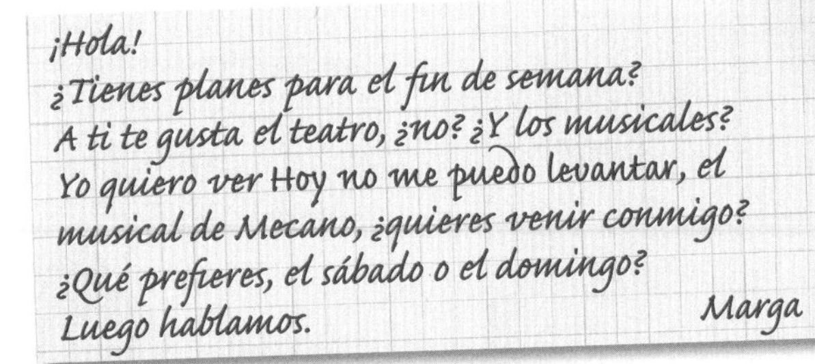
¡Hola!
¿Tienes planes para el fin de semana?
A ti te gusta el teatro, ¿no? ¿Y los musicales?
Yo quiero ver Hoy no me puedo levantar, el musical de Mecano, ¿quieres venir conmigo?
¿Qué prefieres, el sábado o el domingo?
Luego hablamos.
Marga

b Piensa en los espectáculos y actividades de tiempo libre que se pueden hacer en tu ciudad y recuerda lo que sabes sobre los gustos y aficiones de tus compañeros de clase. Escribe dos notas para dos compañeros con propuestas concretas para realizar una actividad juntos.

¡Hola ....

¡Hola ....

c Finalmente, ¿qué haces este fin de semana? Cuéntalo a la clase.

1. Espectáculos en el Retiro

a El Retiro es un famoso parque de Madrid, con muchos espectáculos al aire libre. Lee este texto sobre varios artistas del parque. Después, completa las frases de abajo con el nombre del artista correspondiente.

- Hace teatro para adultos. ....
- Toca un instrumento musical de su país. ....
- Le gustan los objetos redondos. ....
- Le gusta escuchar música durante las actuaciones. ....
- Interpreta cuentos con toda su familia. ....
- Es un grupo con dos personas de países diferentes. ....

①

Los Artistas del Retiro

El Retiro tiene un programa de espectáculos muy extenso e inconstante. Estos son algunos de los mejores artistas habituales

Jesús

Humor y malabares. Domingos, a partir de las 17.00, en el paseo del Estanque.
Características. Viene con sus balones de fútbol, bolas para malabares y otras cosas redondas. Un homenaje a la cultura madrileña castiza, combinada con música *rhythm & blues*.

Cecilia y Familia Videla

Títeres. Sábados y domingos, mañana y tarde, salón del Estanque.
Características. Cecilia, su marido Daniel y cuatro de sus cinco hijos trabajan con títeres. Interpretan cuentos propios. «Nos encanta este parque. La gente siempre quiere ver títeres». Son de Buenos Aires. Hace 15 años que están aquí.

La Llave Inglesa

Teatro en la calle. Domingos, a partir de las 17.00, en el paseo del Estanque.
Características. Yeyo Guerrero y Fausto Ansaldi, un español y un argentino, forman el grupo *La llave inglesa*. Son cómicos, clowns, mimos... Utilizan la estética de la lucha libre mexicana.

Qui

Músico. Domingos, de 11.00 a 13.00 en el paseo de Venezuela.
Características. Toca el *erhu*, violín chino centenario. «Me gusta el Retiro, hay buen ambiente y vendo mi música». Toca desde los nueve años. Hace seis años que está en el Retiro.

Marju

Estatua viviente. Domingos por la tarde, en el salón del Estanque.
Características. ¿En qué piensa durante las actuaciones? «A veces escucho música, y a veces cuento números». Marju tiene 22 años y es de Estonia. Su ropa, de color bronce oxidado, es como el sol de la tarde.

Marcos

Teatro y circo. Sábados y domingos, de 17.00 a 21.00, en el paseo del Estanque.
Características. Los fines de semana, Marcos se transforma en su personaje Juan Francisco Kuelguin, en un espectáculo que «trata de la venta». Un show más para el público adulto.

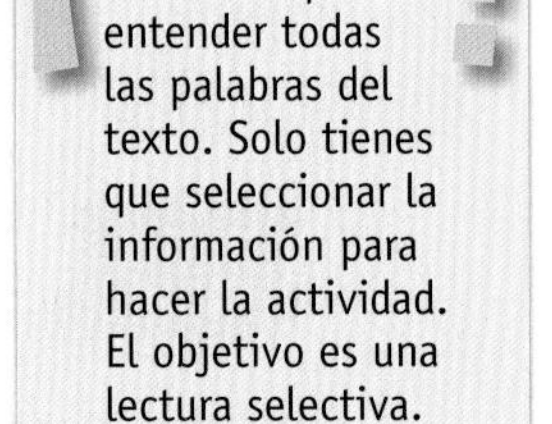

25

Adaptado de On Madrid

b ¿Qué espectáculo del texto te gusta más? ¿Por qué? Habla con tu compañero.

- *A mí me gusta Qui. Me encanta la música.*
- *Pues a mí me gusta más Cecilia, porque me gustan mucho los títeres.*

c En tu ciudad, ¿son frecuentes los espectáculos en la calle? ¿De qué tipo?

- *En mi ciudad, hay muchos espectáculos improvisados: músicos en el metro, estatuas vivientes en la calle...*
- *En mi ciudad, en verano hay un festival de teatro en la calle.*

① No tienes que entender todas las palabras del texto. Solo tienes que seleccionar la información para hacer la actividad. El objetivo es una lectura selectiva.

① Este tipo de texto contiene mucha información y pocas repeticiones. Para prepararte, antes de hacer esta tarea es muy importante leer atentamente las preguntas.

2. Los hábitos culturales de los españoles

25 **a** Escucha una vez los resultados de esta encuesta sobre las actividades culturales y los espectáculos preferidos de los españoles, y señala si las frases son verdaderas o falsas. ①

	V	F
☐ A los españoles les gustan la economía y la política.		
☐ A los españoles les gusta más el cine que el teatro.		
☐ Casi todos los españoles leen por placer.		
☐ A los españoles les gusta más la radio que la televisión.		
☐ A los españoles les gustan mucho los programas informativos.		
☐ Las películas son los programas favoritos de los españoles.		

b Escucha otra vez y completa la ficha.

INe Instituto Nacional de Estadística

Encuesta del Ministerio de Cultura
Hábitos culturales de los españoles

MINISTERIO DE CULTURA

1. Espectáculos y actividades

Actividad cultural favorita de los españoles: ....
Espectáculo favorito: ....
Han ido al cine este año: .... %
Van al teatro a menudo: .... %
Leen por placer: .... %

DOCUMENTO PROTEGIDO INe POR EL SECRETO ESTADÍSTICO

2. Medios de comunicación

Escuchan la radio: .... %
Ven la tele: .... %
Tiempo dedicado a ver la tele: .... al día.
Programas de televisión favoritos de los españoles: ...., ... y ....

c ¿En qué te pareces a los españoles? Habla con tu compañero y comparad vuestros gustos con los resultados de la encuesta.

- *A mí no me gusta ver la tele.*
- *A mí, sí. Pero no me gustan las películas. Prefiero los deportes.*

3. Los hábitos culturales de la clase

Vamos a hacer una encuesta para conocer los hábitos culturales de la clase.
Al final vais a rellenar una ficha como la de la actividad anterior, con los datos de la clase.

- En primer lugar, prepara preguntas para la clase con dos compañeros.
- Después, cada grupo pregunta a los compañeros de los otros grupos.
- Por último, los grupos rellenan la ficha con el resumen de toda la información.

LOS HÁBITOS CULTURALES DE LA CLASE

1. Espectáculos y actividades

Actividad cultural favorita: ....
....
Espectáculo favorito:
....
Van al cine todos los meses: .... %
Van al teatro a menudo: .... %
Leen por placer: .... %

2. Medios de comunicación

Escuchan la radio: .... %
Ven la tele: .... %
Tiempo dedicado a ver la tele: .... al día.
Programas de televisión favoritos: ....
....

1. Expresar frecuencia

Voy a nadar Juego al baloncesto	Todos los días (Todos) Los lunes / martes A veces Dos veces por semana Una vez por semana

No voy a nadar	Casi nunca
No juego al baloncesto	Nunca

Días de la semana

LUNES
MARTES
MIÉRCOLES
JUEVES
VIERNES
SÁBADO
DOMINGO ········ FIN DE SEMANA

Singular	Plural
El lunes	Los lunes
El martes	Los martes
El sábado	Los sábados
El domingo	Los domingos
El fin de semana	Los fines de semana

2. PRESENTE DE INDICATIVO: verbos con formas irregulares

1. CAMBIOS VOCÁLICOS	JUGAR	QUERER	PREFERIR
Yo	Juego	Quiero	Prefiero
Tú	Juegas	Quieres	Prefieres
Usted / él / ella	Juega	Quiere	Prefiere
Nosotros / nosotras	Jugamos	Queremos	Preferimos
Vosotros / vosotras	Jugáis	Queréis	Preferís
Ustedes / ellos / ellas	Juegan	Quieren	Prefieren

2. FORMA YO IRREGULAR	HACER	SALIR	CONOCER
Yo	Hago	Salgo	Conozco
Tú	Haces	Sales	Conoces
Usted / él / ella	Hace	Sale	Conoce
Nosotros / nosotras	Hacemos	Salimos	Conocemos
Vosotros / vosotras	Hacéis	Salís	Conocéis
Ustedes / ellos / ellas	Hacen	Salen	Conocen

3. Pedir información sobre gustos

- ¿Te gusta bailar?
- Sí, me gusta mucho
- ¿Te gusta el cine?
- Sí, me gusta bastante
- ¿Te gustan los deportes?
- No, no me gustan

Me Te	GUSTA + infinitivo GUSTA + nombre singular GUSTAN + nombre plural

4. Pedir y dar información sobre preferencias

- ¿Qué prefieres, el cine o el teatro?
- Prefiero el cine, ¿y tú?
- Yo también.

5. Proponer a alguien hacer una actividad

- ¿Quieres ir al cine?
- ¿Vamos a jugar al tenis esta tarde?

5 Calle Mayor

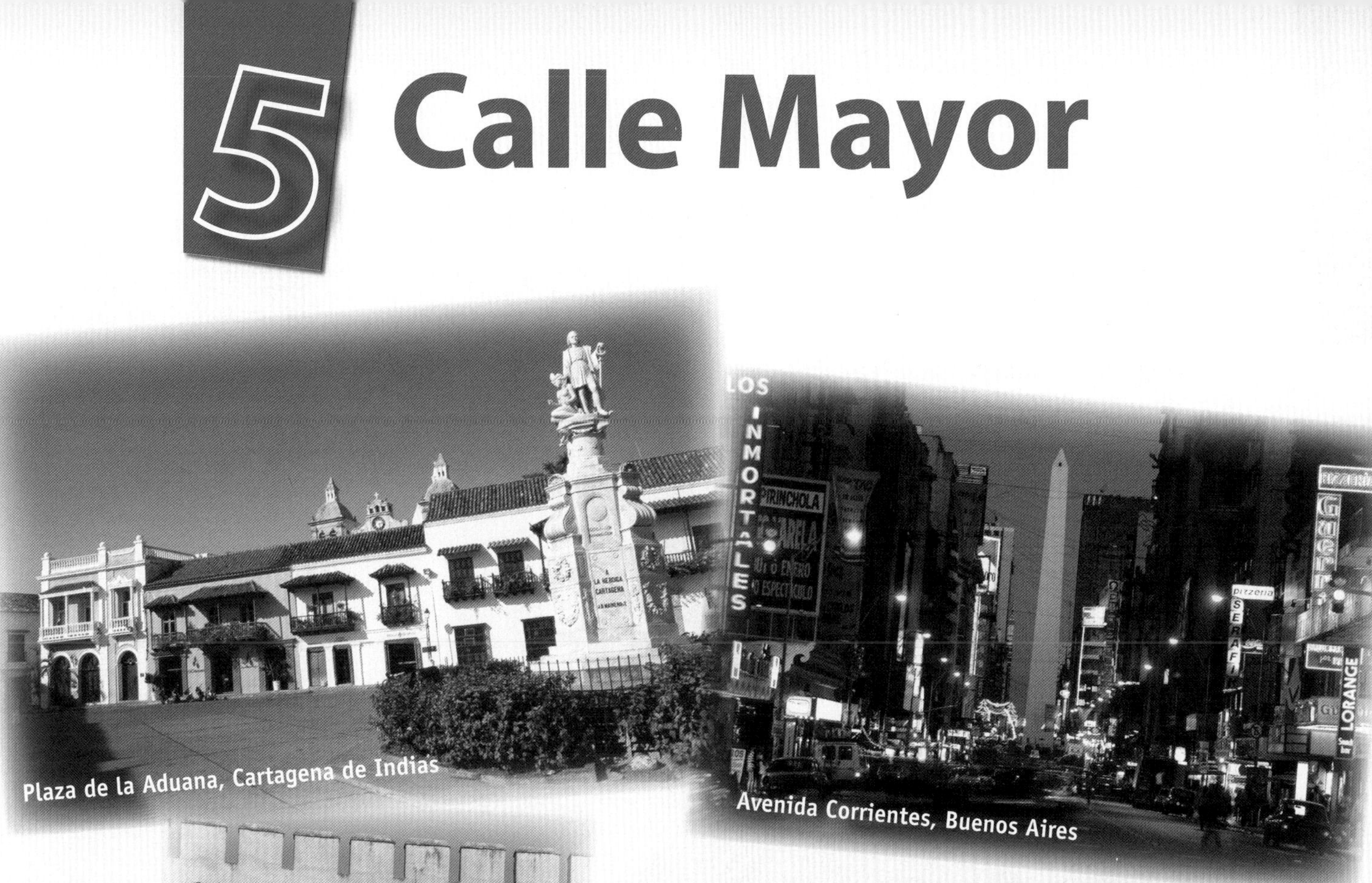

Plaza de la Aduana, Cartagena de Indias

Avenida Corrientes, Buenos Aires

Calle Elvira, Granada

Paseo de la Reforma, Ciudad de México

En esta unidad vamos a aprender:

- A describir una ciudad, sus lugares y servicios
- Cómo preguntar y dar información sobre horarios
- Cómo preguntar y dar la hora
- A pedir y dar información sobre la ubicación de lugares
- A proponer y concertar una cita
- Los números del 101 a un millón

1. Es una ciudad turística

a Relaciona los nombres de las ciudades con la foto y la descripción de cada una.

México DF, México ....
Buenos Aires, Argentina ....
Cartagena de Indias, Colombia ....
La Habana, Cuba ....
Granada, España ....

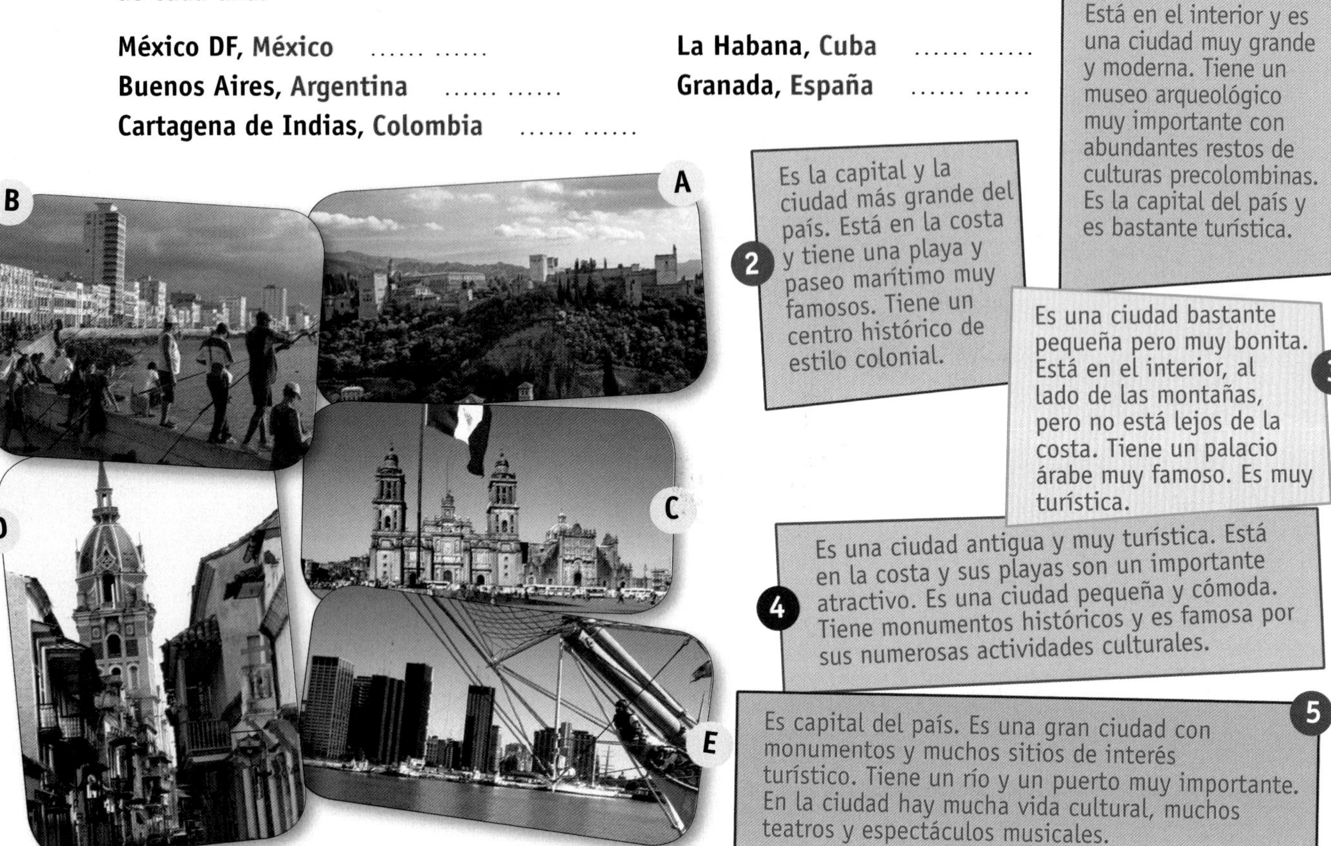

1. Está en el interior y es una ciudad muy grande y moderna. Tiene un museo arqueológico muy importante con abundantes restos de culturas precolombinas. Es la capital del país y es bastante turística.

2. Es la capital y la ciudad más grande del país. Está en la costa y tiene una playa y paseo marítimo muy famosos. Tiene un centro histórico de estilo colonial.

3. Es una ciudad bastante pequeña pero muy bonita. Está en el interior, al lado de las montañas, pero no está lejos de la costa. Tiene un palacio árabe muy famoso. Es muy turística.

4. Es una ciudad antigua y muy turística. Está en la costa y sus playas son un importante atractivo. Es una ciudad pequeña y cómoda. Tiene monumentos históricos y es famosa por sus numerosas actividades culturales.

5. Es capital del país. Es una gran ciudad con monumentos y muchos sitios de interés turístico. Tiene un río y un puerto muy importante. En la ciudad hay mucha vida cultural, muchos teatros y espectáculos musicales.

b ¿Qué ciudad te gusta más? ¿Qué ciudad es más interesante? Coméntalo con tus compañeros

Es una buena ciudad para...	*... estudiar* *... divertirse* *... vivir con niños* *... vivir jubilado* *... trabajar* *... visitar*

- *Yo creo que Buenos Aires es una buena ciudad para divertirse.*
- *Sí, y para visitar también.*

c Piensa en una ciudad. Tus compañeros te harán preguntas para adivinar cuál es.

- *¿Está en Europa?*
- *Sí*
- *¿Está en la costa?*
- *No*
- *¿Es antigua?*
- *Sí*
- *¿Tiene un río importante?*
- *Sí*
- *¿Cómo se llama el río?*
- *Danubio*
- *¿Es Viena?*

ES ...
grande
pequeña
antigua
moderna
bonita
fea
turística

ESTÁ ...
en la costa
en el interior
en Europa

TIENE ...
un río
un puerto
una playa
un museo
un palacio
una universidad
importante
famoso/a

> ①
> Fíjate en las maneras abreviadas de escribir los tipos de vía: Avda. Pº, Pza. y c/

2. Calles y avenidas

26 Escucha las tres conversaciones de este taxista. Marca dónde va cada cliente.

☐ Pza. de la Independencia, 1	☐ Calle Mayor, 121	☐ P.º de las Fuentes, 234 ①	☐ Avenida del Mediterráneo, 74
☐ Plaza de España, 29	☐ Calle Colombia, 39	☐ Paseo de los Rosales, 97	☐ Avenida del Río, 154
☐ Plaza Mayor, 12	☐ c/Velázquez, 32	☐ Paseo del Rey, 187	☐ Avda. de la Reina Victoria, 304

3. En mi barrio, en mi calle

a Relaciona las palabras relativas a servicios de la ciudad con las imágenes.

1. *Hospital* ......
2. *Estación de tren* ......
3. *Aparcamiento* ......
4. *Biblioteca* ......
5. *Centro Comercial* ......
6. *Parque* ......
7. *Banco* ......
8. *Comisaría de policía* ......
9. *Museo* ......
10. *Universidad* ......

a b c d e f g h i j

27 **b** Escucha la descripción de una calle ¿Cuál es, A o B?

> **Para localizar en la calle**
>
> *Está... ... a la derecha*
> *... a la izquierda*
> *... enfrente de*
> *... al lado de*
> *... al final de la calle*

c ¿Qué servicios tienes cerca de tu casa? Coméntalo con tu compañero

4. La ciudad en números

a Completa los números de esta lista de datos con las cifras siguientes.

450 500	**124**	**105**	**3 560**	**708**
86 900	**210**	**340**	**12 600**	**2 800**

LA CIUDAD TIENE ...

- (Ciento cinco) .... museos
- 27 parques
- (Doscientas diez) .... líneas de autobuses
- (Dos mil ochocientos) .... hoteles y hostales
- 68 comisarías de policía
- (Trescientos cuarenta) .... monumentos
- (Ciento veinticuatro) .... estaciones de metro
- 12 hospitales
- (Setecientas ocho) .... plazas
- (Doce mil seiscientos) .... taxis
- (Tres mil quianientos sesenta) .... bares y restaurantes
- (Ochenta y seis mil novecientas) .... motos
- (Cuatrocientos cincuenta mil quinientos) .... coches
- 42 aparcamientos públicos

b Ahora completa estas tablas.

100	cien	700	....
101	ciento uno	800	ochocientos/as
105	ciento cinco	900	....
200	doscientos/as	1000	mil
300	....	2000	dos mil
400	cuatrocientos/as	1020	....
500	....	10 000	diez mil
600	seiscientos/as	100 000	....

c ¿Qué adjetivo relacionas con las características de la ciudad de 4.a?

> *agradable - tranquila - segura - animada, interesante - ruidosa - artística - turística - cómoda - moderna*

■ *Tiene 105 museos y 340 monumentos: creo que es una ciudad interesante*

● *Sí, y artística*

d ¿Y cómo es la ciudad donde vives?

Todos contra el ruido

a Paloma, Sergio y Miquel tienen trabajo el sábado. Lee y escucha.

b ¿Qué titular corresponde mejor a las protestas de los vecinos?

La Asociación de Vecinos de Madrid-Centro protesta por los horarios de bares y discotecas

Los vecinos del centro quieren más tranquilidad y más colaboración del Ayuntamiento

Los vecinos de Madrid-Centro quieren limitar el tráfico de coches y ampliar los horarios comerciales

Madrid-Centro: Manifestación de los vecinos contra el ruido y la contaminación

1. Hay / está

a Lee otra vez los diálogos y relaciona los elementos de las tres columnas.

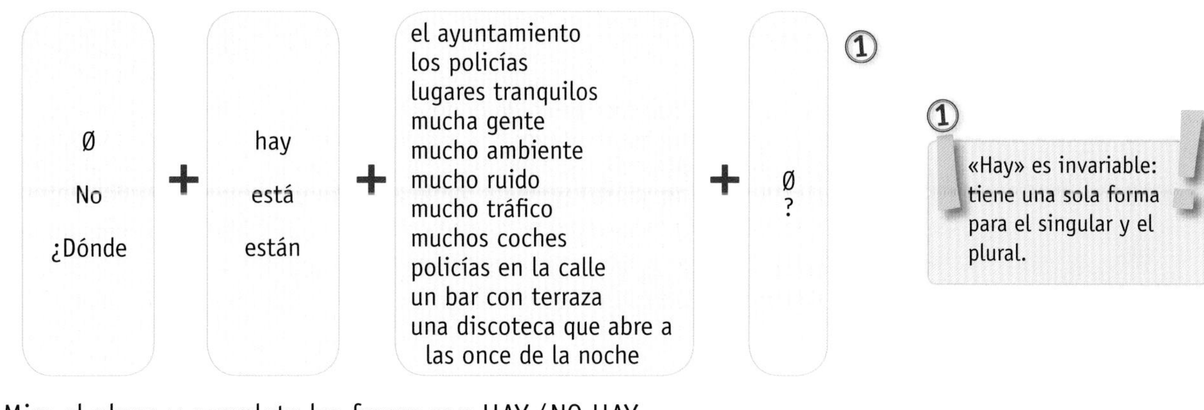

① «Hay» es invariable: tiene una sola forma para el singular y el plural.

b Mira el plano y completa las frases con HAY / NO HAY.

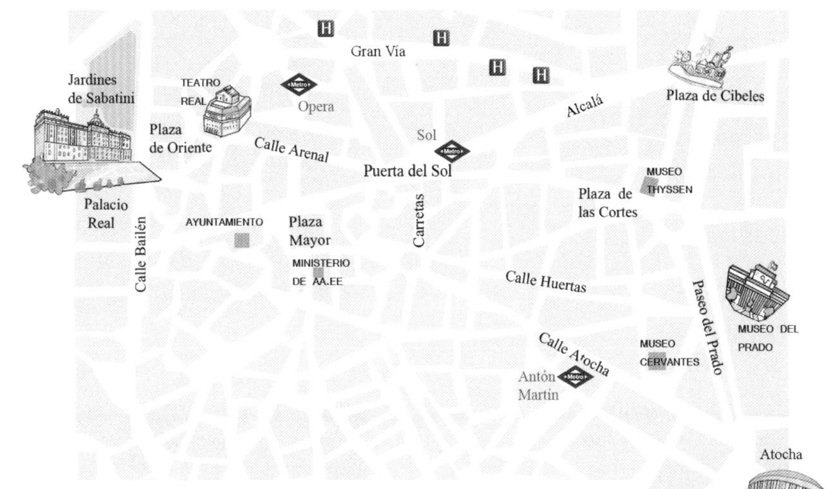

1. En la Puerta del Sol .... una estación de metro (M).
2. Cerca del Palacio Real .... unos jardines.
3. En la plaza Mayor .... una estación de tren.
4. .... un museo cerca del metro Antón Martín.
5. Al final de la calle Huertas .... parques infantiles.
6. En la calle Gran Vía .... hoteles (H).

c ¿Verdadero o falso? Fíjate en el ejemplo.

	V / F
1. El Ministerio de Asuntos Exteriores está lejos de la plaza Mayor.	☐ ☒
2. Los Jardines de Sabatini están en la Puerta del Sol.	☐ ☐
3. El Museo de Cervantes está en la plaza de las Cortes.	☐ ☐
4. El Ayuntamiento está en la Gran Vía. ②	☐ ☐
5. El Teatro Real está al lado del metro Ópera.	☐ ☐

② Al hablar de calles muy conocidas, especialmente si tienen un nombre largo, no se dice la palabra «calle». Se dice simplemente: la Gran Vía, Goya, etc.

d Lee los diálogos y completa los cuadros con las palabras HAY, ESTÁ o ESTÁN.

Para presentar o informar de la existencia de algo (personas, cosas, lugares...).

En mi ciudad	....	una discoteca un parque mucho ambiente lugares tranquilos	Singular Plural

Para localizar personas, cosas o lugares concretos, conocidos en ese contexto.

¿Dónde	....	el ayuntamiento? los policías?	Singular Plural

e Elige la respuesta correcta.

1. El Monasterio de las Descalzas Reales hay / está en la plaza de las Descalzas.
2. Por favor, ¿dónde hay / está el Congreso de los Diputados?
3. En la plaza de Santo Domingo hay / está un hotel.
4. ¿Hay / está una estación de metro cerca de la catedral de San Isidro? ③
5. En la Puerta del Sol no hay / están jardines.
6. Los jardines de Cabo Noval hay / están cerca de los jardines de Sabatini.

③ Fíjate en que solo las frases con ESTÁ / ESTÁN llevan artículo EL / LA / LOS / LAS.

2. Mi ciudad

Describe tu pueblo o tu ciudad a tu compañero. Si los dos sois del mismo lugar, describe tu barrio.

■ *Yo soy de París. Mi casa está cerca de la plaza de la Bastilla. Me gusta mucho mi barrio. Hay muchos bares y restaurantes. También hay un mercado en la calle los domingos. Y en la plaza, está la Ópera. Es muy bonito y hay mucho ambiente, pero también mucho ruido.*

● *Yo soy de un pueblo pequeño. Es un lugar muy tranquilo y muy bonito, pero no hay cines ni teatros.*

Es	(muy) grande/pequeño (muy) bonito/feo
Hay	(mucho) ruido (mucha) gente (muchos) bares (muchas) terrazas

3. ¿Qué hora es? ¿A qué hora...?

a Lee otra vez los diálogos de la página 44 y escribe la respuesta con letras.

1. ¿A qué hora es la manifestación del sábado? ....
2. ¿A qué hora comen el sábado los personajes? ....
3. ¿A qué hora abre la discoteca? ....
4. ¿A qué hora cierra la discoteca? ....
5. ¿A qué hora abre el bar con terraza? ....

LA HORA

12.00 Las doce.
13.00 La una.
14.00 Las dos.
15.05 Las tres y cinco.
16.15 Las cuatro y cuarto.
18.30 Las seis y media.
16.40 Las cinco menos veinte.
17.45 Las seis menos cuarto.
22.55 Las once menos cinco.

b Mira los dibujos y relaciona las dos columnas.

1) Para preguntar a una persona desconocida, decimos...
2) Para preguntar a un amigo o compañero, decimos...
3) Si estamos seguros de que la otra persona sabe la hora, preguntamos...
4) Si no estamos seguros, preguntamos...

a. ¿Qué hora es?
b. ¿Tienes/tiene hora?
c. Perdona...
d. Perdone...

c Mira estos relojes y completa las frases, como en el ejemplo.

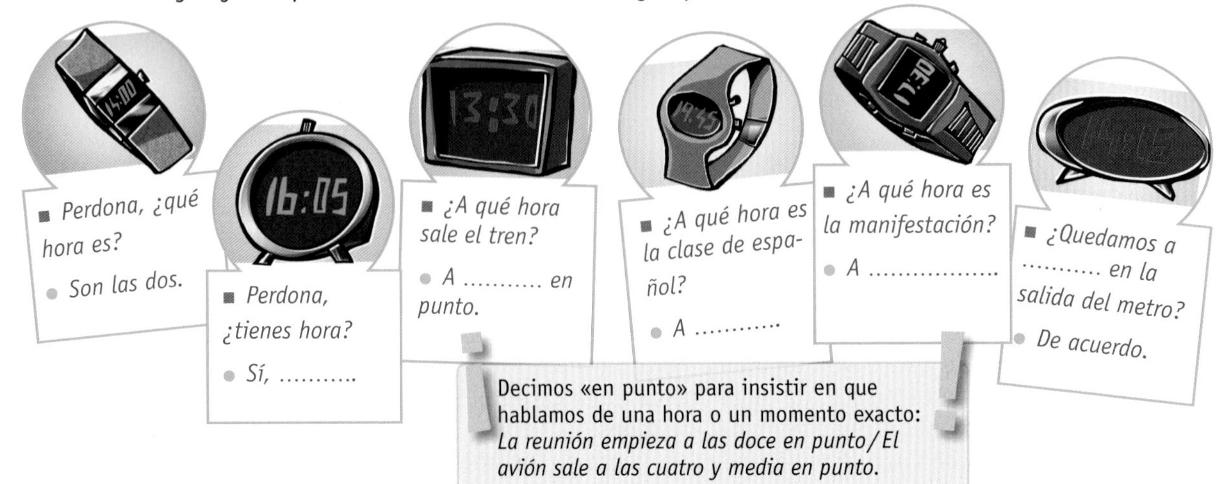

Decimos «en punto» para insistir en que hablamos de una hora o un momento exacto: *La reunión empieza a las doce en punto/El avión sale a las cuatro y media en punto.*

d Lee los carteles. ¿Cómo son los horarios de estos tipos de establecimientos, en tu ciudad?

- *En mi ciudad, los horarios de bares y restaurantes son como en España, pero los museos están abiertos los domingos por la tarde.*

4. ¿Cómo quedamos?

a Ordena las intervenciones para formar el diálogo. Después escríbelas en el cuadro, como en el ejemplo.

a. Vale, muy bien ....
b. ¿A las dos y media al lado del metro? ....
c. ¿Cómo quedamos? ....
d. ¿Qué tal un poco más tarde? ¿A las tres? ....
e. Vale ....
f. ¿Comemos juntos el sábado? ....1......
g. Por mí, bien ....
h. De acuerdo ....
i. ¿Quedamos en la cervecería Cruz Blanca? ....

Para proponer una actividad	*¿Comemos juntos el sábado?*
Para aceptar una propuesta (Tres respuestas)	....
Para preguntar la hora y el lugar de una cita	*¿Cómo quedamos?*
Para proponer una hora o un lugar para una cita	....
Para rechazar una propuesta y proponer otra cosa	....

b Completa los diálogos.

- *¿Vamos al Museo del Prado esta tarde?* ③
- *¿..................... las 17.00, en la puerta principal?*
- *Vale, muy bien. ¿...?*
- ....

- *¿.....................mañana al Jardín Botánico?*
- *........................... ¿.......................... la entrada del jardín, a las 19.00?*
- *¡Es muy tarde! ¿.................................. las 18.00?*
- ....

Proponer una actividad y una cita

¿Vamos a... + lugar?
¿Cómo quedamos?
¿A qué hora quedamos?
¿Quedamos en... + lugar?
¿Quedamos a... + hora?
¿Qué tal en... + lugar?
¿Qué tal a... + hora?
Vale, de acuerdo. / Muy bien.

c Propón a tu compañero hacer una actividad juntos y decidid el lugar y la hora de la cita.

- *¿Comemos juntos el sábado? Cerca de mi casa hay un restaurante muy agradable.*
- *Vale. ¿Cómo quedamos?*

Para decir que no:
Lo siento, el sábado no puedo. ¿Qué tal el viernes?

1. Calidad de vida en las ciudades

a Estos son algunos factores que condicionan la calidad de vida de las ciudades. Decide con tu compañero qué tres factores son los más importantes y por qué. Si queréis, podéis añadir otros factores a la lista.

- Número de habitantes
- Aeropuerto internacional
- Contaminación
- Temperaturas
- Conexiones interurbanas e internacionales
- Tolerancia social
- Servicios sanitarios
- Medios de comunicación
- Transporte público urbano
- Horas de sol
- Zonas verdes
- Ocio
- Educación
- Delincuencia

■ *Para mí, el factor más importante es el nivel de delincuencia.*
● *Sí, pero también los transportes y los servicios sanitarios.*

b Según estos factores, ¿cuál puede ser una buena ciudad para vivir?

■ *Londres: tiene muy buenas conexiones y hay muchos parques...*
● *Sí, pero no tiene muchas horas de sol y las temperaturas son bajas. Yo prefiero Roma.*

c Lee la siguiente noticia y señala los factores de la lista de arriba que se mencionan.

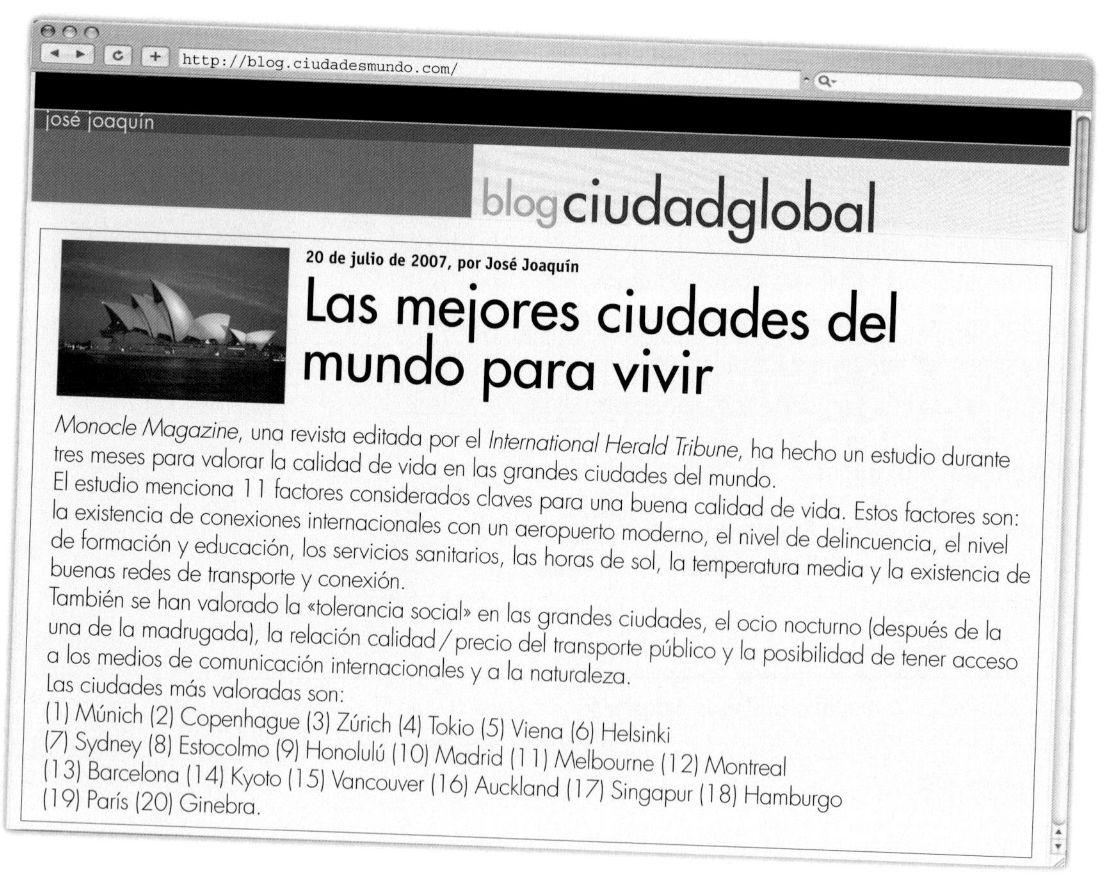

http://blog.ciudadesmundo.com/

josé joaquín

blogciudadglobal

20 de julio de 2007, por José Joaquín

Las mejores ciudades del mundo para vivir

Monocle Magazine, una revista editada por el *International Herald Tribune*, ha hecho un estudio durante tres meses para valorar la calidad de vida en las grandes ciudades del mundo.
El estudio menciona 11 factores considerados claves para una buena calidad de vida. Estos factores son: la existencia de conexiones internacionales con un aeropuerto moderno, el nivel de delincuencia, el nivel de formación y educación, los servicios sanitarios, las horas de sol, la temperatura media y la existencia de buenas redes de transporte y conexión.
También se han valorado la «tolerancia social» en las grandes ciudades, el ocio nocturno (después de la una de la madrugada), la relación calidad/precio del transporte público y la posibilidad de tener acceso a los medios de comunicación internacionales y a la naturaleza.
Las ciudades más valoradas son:
(1) Múnich (2) Copenhague (3) Zúrich (4) Tokio (5) Viena (6) Helsinki
(7) Sydney (8) Estocolmo (9) Honolulú (10) Madrid (11) Melbourne (12) Montreal
(13) Barcelona (14) Kyoto (15) Vancouver (16) Auckland (17) Singapur (18) Hamburgo
(19) París (20) Ginebra.

d ¿Está tu ciudad en la lista? ¿Conoces alguna de las ciudades más valoradas? ¿Estás de acuerdo con la clasificación?

■ *Yo vivo en Sydney: es muy bonita y moderna pero es muy cara.*
● *¿Y tiene muchas zonas verdes?*

2. ¿Quieres conocer Madrid?

a Madrid VISIÓN es un servicio de autobuses turísticos. ¿En qué crees que consiste? Decide con tu compañero las opciones que pueden ser. correctas.

1. Madrid VISIÓN funciona en...	2. El horario es...	3. El precio es...	4. Se puede bajar del autobús...
☐ verano ☐ todo el año ☐ otoño y primavera	☐ todo el día ☐ por la noche ☐ por la mañana	☐ 10 € al día ☐ 20 € dos días ☐ 20 € al día	☐ en los museos ☐ 5 veces ☐ en cualquier momento

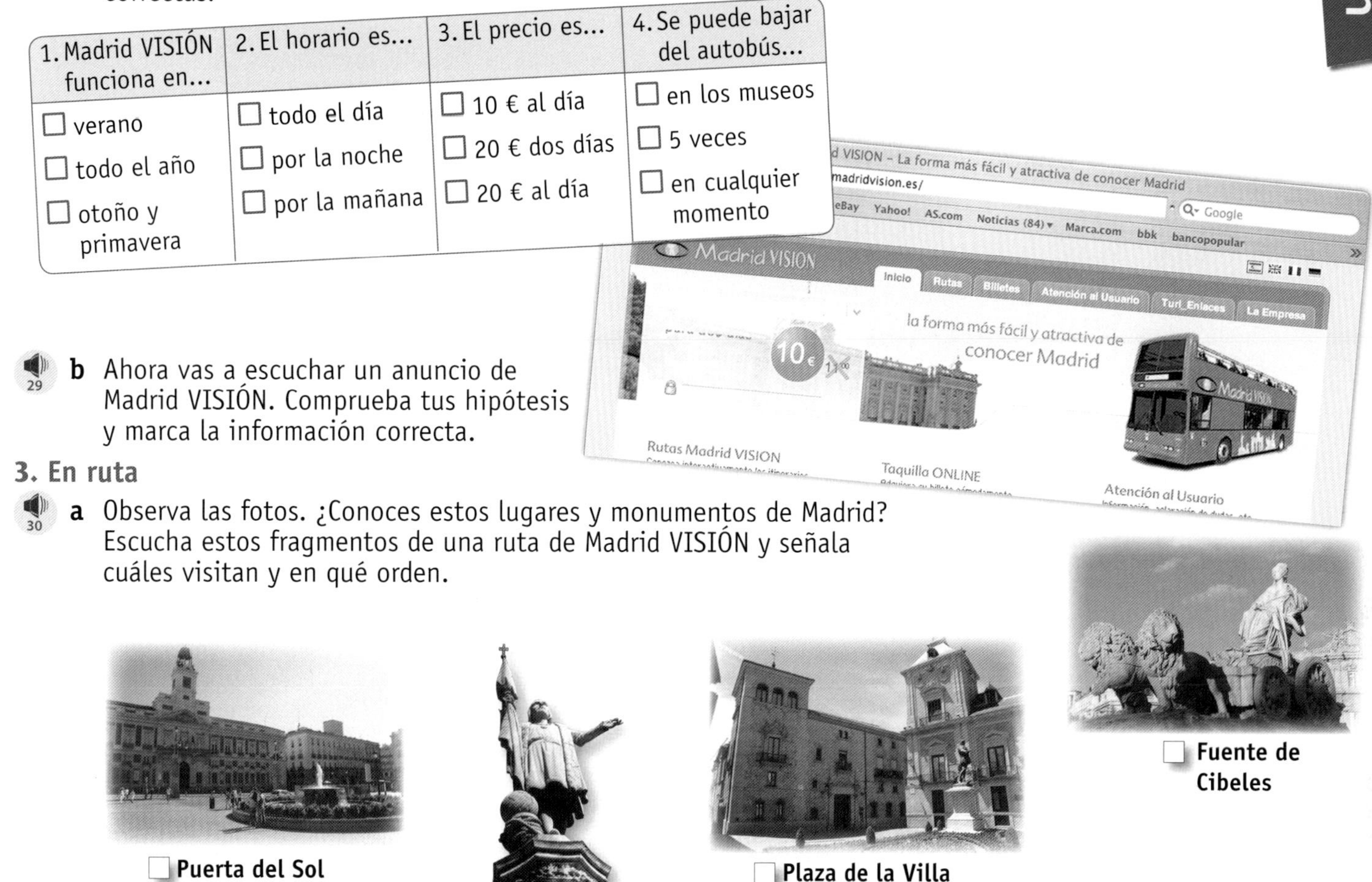

b Ahora vas a escuchar un anuncio de Madrid VISIÓN. Comprueba tus hipótesis y marca la información correcta. (29)

3. En ruta

a Observa las fotos. ¿Conoces estos lugares y monumentos de Madrid? Escucha estos fragmentos de una ruta de Madrid VISIÓN y señala cuáles visitan y en qué orden. (30)

☐ Puerta del Sol

☐ Plaza de la Villa

☐ Fuente de Cibeles

☐ Museo del Prado

Monumento a Colón ☐

Palacio Real ☐

☐ Puerta de Alcalá

b ¿A qué foto corresponden estas informaciones? Escucha otra vez y comprueba.

1. Allí se celebra la última noche del año ......
2. Está al lado de la entrada principal del parque del Retiro. ......
3. Allí se celebran las victorias del Real Madrid ......
4. Hay una estatua de Velázquez ......
5. Sede del Ayuntamiento ......

c Prepara con tu compañero la ruta ideal para conocer tu ciudad. Selecciona los cinco lugares más importantes o famosos.

- *Yo creo que en la ruta ideal está el Ayuntamiento porque es un edificio muy importante y el Museo Nacional.*
- *Sí, sí y también el Puente Viejo.*

1. HAY: existencia

Hay	un bar con terraza en mi calle. una discoteca al final de la avenida. bares y discotecas en el centro. mucho ruido por las noches. mucha gente en la Plaza Mayor. muchos coches en mi barrio. muchas terrazas en esta avenida.

2. ESTAR: localización

El bar Pepe La comisaría	está	cerca de la plaza al lado del cine
Los cines Ideal Las tiendas de ropa	están	lejos del metro en el centro

3. Sistema horario

	El sistema horario	Partes del día
12.00	**Las** doce.	La mañana
13:00	**La** una.	La tarde
14:00	**Las** dos.	La noche
15:05	**Las** tres y cinco.	La madrugada
16:15	**Las** cuatro y cuarto.	
18:30	**Las** seis y media.	Las doce de la mañana
18:40	**Las** seis menos veinte.	La tres de la tarde
21:45	**Las** diez menos cuarto.	Las doce de la noche
22:55	**Las** once menos cinco.	La tres de la madrugada

4. Pedir y dar información sobre horarios

- ¿A qué hora sale el tren?
- A **la** una y veinte.
  las cuatro (en punto).
  las ocho y cuarto.
  las siete y media (en punto).

5. Pedir y dar la hora

- ¿Tiene / -s hora?
- (Sí,) **son las** doce.
  es la una y cinco.
  son las seis y veinticinco.

- ¿Qué hora es?
  - Son las diez.
  - Es la una y cuarto.
  - Son las nueve y media.

6. Los números

101	Ciento un(o) / -a
102	Ciento dos
103	Ciento tres
104	Ciento cuatro
105	Ciento cinco
...	
110	Ciento diez
111	Ciento once
112	Ciento doce
...	
120	Ciento veinte
121	Ciento veintiuno
122	Ciento veintidós
...	
130	Ciento treinta
140	Ciento cuarenta
150	Ciento cincuenta
160	Ciento sesenta
170	Ciento setenta
180	Ciento ochenta
190	Ciento noventa

Ciento un libros
Ciento una personas

200	Doscientos / -as
205	Doscientos / -as cinco
210	Doscientos / -as diez
220	Doscientos / -as veinte
...	
300	Trescientos / -as
400	Cuatrocientos / -as
500	Quinientos / -as
600	Seiscientos / -as
700	Setecientos / -as
800	Ochocientos / -as
900	Novecientos / -as
1000	Mil
1001	Mil un(o) / -a
1010	Mil diez
1050	Mil cincuenta
1100	Mil cien
1150	Mil ciento cincuenta

Setecientos libros
Setecientas personas

Mil libros / Mil personas

1200	Mil doscientos / -as
1330	Mil trescientos / as
1400	Mil cuatrocientos / -as
1500	Mil quinientos / -as
...	
2000	Dos mil
3000	Tres mil
4000	Cuatro mil
...	
20 000	Veinte mil
50 000	Cincuenta mil
100 000	Cien mil
200 000	Doscientos / -as mil
300 000	Trescientos / -as mil
400 000	Cuatrocientos / -as mil
500 000	Quinientos / -as mil
600 000	Seiscientos / -as mil
700 000	Setecientos / -as mil
800 000	Ochocientos / -as mil
900 000	Novecientos / -as mil
1 000 000	Un millón

Cien mil personas
Un millón de personas

7. Citarse

Preguntar hora y lugar
¿Cómo quedamos?
¿Cuándo quedamos?
¿Dónde quedamos?

Proponer hora y lugar
¿Quedamos mañana a las once?
¿Quedamos en el Café Central?

Aceptar una propuesta
Vale.
Muy bien.
De acuerdo.
Por mí, bien.
Vale, muy bien.
Muy bien, de acuerdo.

Para aceptar, es frecuente unir dos o más expresiones

Rechazar una propuesta
Lo siento, por la tarde no puedo.

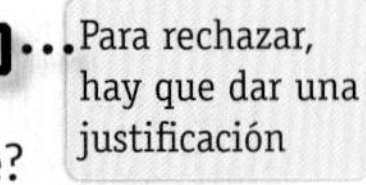

Proponer una alternativa
¿Qué tal mañana por la noche?
¿Qué tal el sábado?
¿Qué tal un poco más tarde? ¿A las doce?

6 De campo y playa

1

2

3

4

En esta unidad vamos a aprender a:

- Describir espacios naturales y lugares de vacaciones
- Hablar de planes e intenciones
- Comprender y dar información sobre el tiempo y el clima
- Reservar un alojamiento por escrito

1. Un lugar en el mundo

a Aquí tienes los nombres de los lugares de las fotografías anteriores. ¿Sabes qué foto corresponde a cada lugar? Escribe el número.

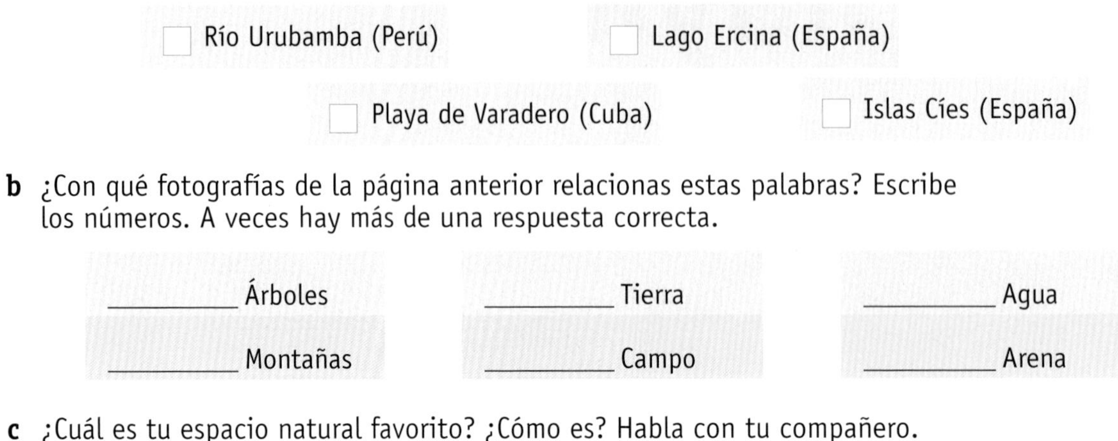

☐ Río Urubamba (Perú) ☐ Lago Ercina (España)

☐ Playa de Varadero (Cuba) ☐ Islas Cíes (España)

b ¿Con qué fotografías de la página anterior relacionas estas palabras? Escribe los números. A veces hay más de una respuesta correcta.

_________ Árboles _________ Tierra _________ Agua

_________ Montañas _________ Campo _________ Arena

c ¿Cuál es tu espacio natural favorito? ¿Cómo es? Habla con tu compañero.

- *A mí me gustan mucho los Alpes suizos. Hay montañas muy altas y lagos muy bonitos.*
- *A mí me gustan las playas de mi país. Son grandes y muy tranquilas.*

2. Medios de transporte

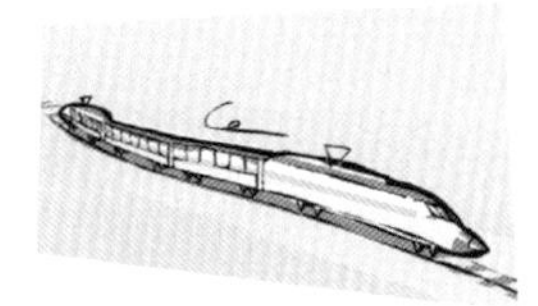

En tren

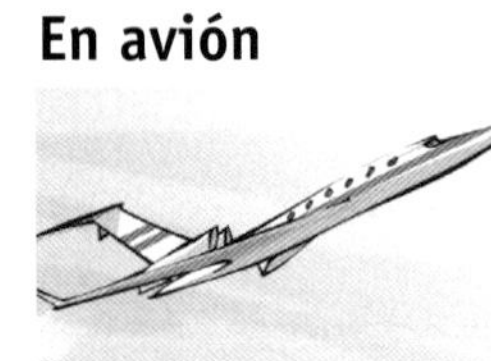

En avión

En coche

En barco

En moto

¿Cómo te gusta viajar? ¿Por qué?

- *A mí me gusta viajar en barco, porque es muy agradable.*
- *Yo prefiero viajar en tren, para ver bien el paisaje.*

3. Ligüerre de Cinca, un lugar de vacaciones

a Lee este anuncio publicitario y habla con tu compañero: ¿en qué parte de España está Ligüerre de Cinca? ¿Cómo es el lugar? ¿Cómo es el paisaje?

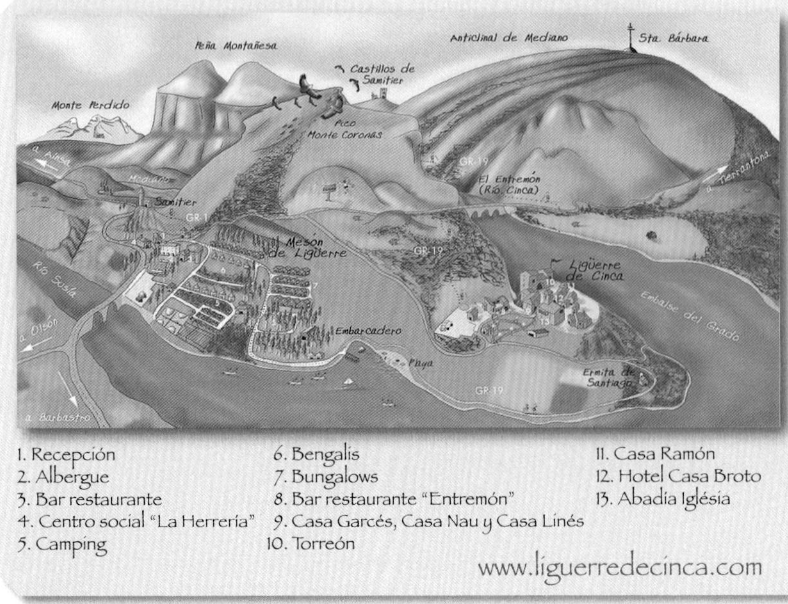

Ligüerre de Cinca es un pueblo de origen medieval. Abandonado por la construcción del embalse de El Grado, en 1986 fue cedido a la Unión General de Trabajadores (UGT). Hoy es un centro de vacaciones. Un lugar tranquilo y familiar para disfrutar de tradiciones, cultura y gastronomía. En el Pirineo aragonés, cerca del Parque Nacional de Ordesa, el valle de Pineta y la sierra de Guara. La combinación de ocio, tranquilidad y contacto con la naturaleza hacen del centro de vacaciones de Ligüerre de Cinca un lugar ideal.

¡ La *ü* de «Ligüerre» se pronuncia. Por eso está marcada con « ¨ ». Compara con la pronunciación de «albergue», donde la *u* no se pronuncia. !

b Estos son algunos tipos de alojamiento de Ligüerre de Cinca. Vas a ir un fin de semana con tu compañero. ¿Dónde os vais a alojar? ¿Por qué?

TIENDAS
Para venir a nuestro *camping* sin equipo.
Superficie 16 m^2.
Habitaciones: 2 dobles, una habitación con cama de matrimonio y otra con dos camas.
Salón: de 8 m^2.

ALBERGUE
Edificio junto a piscina.
12 habitaciones de 2, 3 y 4 plazas.
Un dormitorio con 18 camas.
Baños y duchas para compartir.
Sala de lectura, juegos y TV.
Especial para grupos.

BUNGALOW
En edificios rehabilitados.
Para 4/5 personas: 1 habitación con 3 camas y un sofá cama.
Para 6/7 personas (45 m^2):
2 habitaciones, una con dos camas, otra con tres camas y un sofá cama.

HOTEL
26 habitaciones dobles con baño (se pueden reservar como habitaciones individuales).

- *Nadia y yo vamos con la familia. Vamos a alojarnos en un apartamento grande, porque somos seis personas.*
- *Kouamé y yo vamos a alojarnos en el hotel.*

> Hablar de proyectos:
> *Kouamé y yo vamos a alojarnos en el hotel.*

c Para hablar de tipos de alojamiento, ¿qué combinaciones puedes formar con estas palabras? Elige una palabra de cada grupo. Compara con tu compañero.

Un	albergue	cama	con sofá cama
Una	cama	con baño	de matrimonio
	dormitorio	con dos camas	doble
	habitación	con ducha	individual
	hotel	con piscina	para grupos
	sofá		

4. ¿Qué tiempo hace?

a Mira el mapa del tiempo. ¿Qué tiempo hace en cada zona?

NORTE
OESTE
ESTE
SUR

Para hablar del tiempo: Norte, Sur, Este, Oeste

Hace sol
Llueve
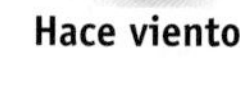
Hace viento

Nieva

Hay tormenta
Hay niebla
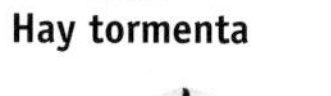

Hay nubes
Hace calor
Hace frío

- *En el centro, hace sol.*
- *Sí, y en las Islas Baleares, hay tormentas.*

b ¿Cómo es el clima en tu país o en tu región?

- *En mi país llueve mucho en primavera y en otoño.*
- *En mi país nieva y hace mucho frío en invierno.*

Pirineos, lugar de vacaciones.

31 **a** Sergio y Paloma van a hacer un viaje. Lee y escucha.

b ¿Qué tiempo va a hacer en los Pirineos? Elige el mapa más adecuado.

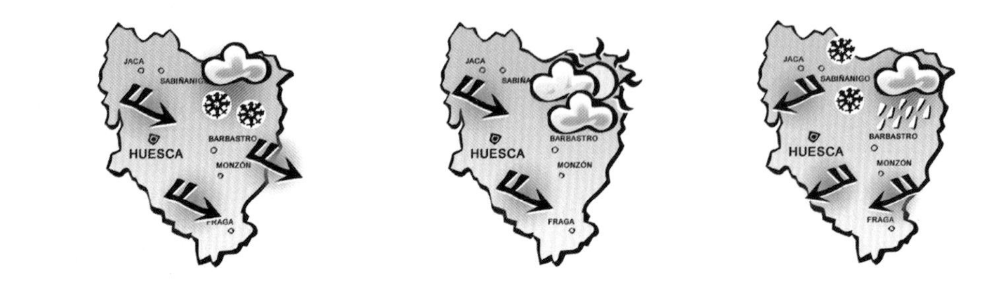

1. Planes y deseos

a Busca en el cómic los detalles del viaje de Sergio y Paloma, y relaciona las dos partes de las frases.

1. Queremos recorrer
2. Vamos a empezar
3. Vamos a estar
4. Paloma quiere visitar
5. Vamos a hacer
6. Me gustaría conocer

a. un reportaje sobre lugares de vacaciones.
b. las estaciones de esquí.
c. el Valle de Benasque.
d. las iglesias románicas.
e. dos días en el Pirineo aragonés.
f. en Ligüerre de Cinca.

b ¿Cuáles de las afirmaciones anteriores expresan planes y cuáles deseos? Completa las listas y el esquema.

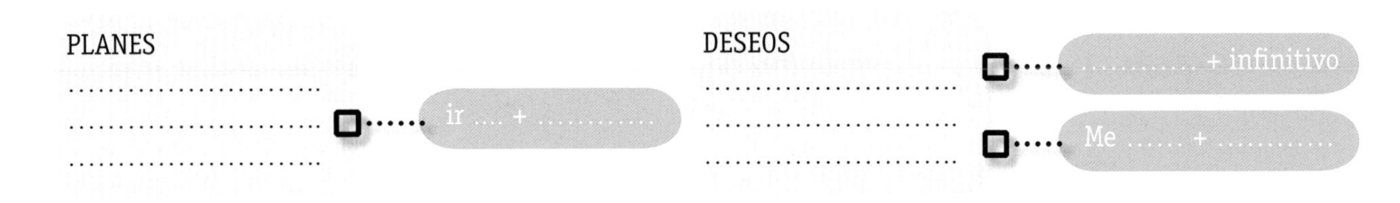

c ¿Y tú? ¿Qué planes tienes para...?

1. *Las vacaciones de verano: Voy a pasar dos semanas con mi familia en...*
2. *El fin de semana:* ....
3. *Esta tarde:* ....
4. *Celebrar tu cumpleaños:* ....
5. *Aprender más español:* ....

¿Qué vas a hacer?
¿Cuándo vas a...?
¿Cómo vas a...?
¿Con quién vas a...?
¿Dónde vas a...?

d Ahora pregunta a tu compañero sobre sus planes.

■ *¿Qué vas a hacer este fin de semana?*
● *El sábado voy a ir a comer a casa de unos amigos. ¿Y tú?*

2. Un día en Ligüerre de Cinca

a Mira otra vez el plano del Centro de Vacaciones de Ligüerre de Cinca. ¿Qué actividades y visitas de la lista crees que se pueden hacer en un día? Decide con tu compañero.

- *Visita en autobús a los Castillos de Samitier.*
- *Paseo en barco por el embalse de Grado.*
- *Carrera de barcos.*
- *Subida al Pico Monte Coronas.*
- *Nadar y descansar en la playa.*
- *Comida en la playa.*
- *Visita y picnic en la Ermita de Santiago.*
- *Visita a la Abadía y el Torreón.*
- *Comida en el Bar Restaurante Entremón.*

32 **b** Ahora una monitora del centro explica el plan de actividades y visitas del día. ¿Qué van a hacer? ¿En qué orden? Numera las actividades de la lista que menciona. ¿Coincide con tu plan?

3. De viaje

Francesco y Ana viven en Milán y van a pasar unos días en España. Mira los billetes y reservas y, con tu compañero, completa la tabla con su itinerario: qué recorrido van a hacer, cómo van a viajar, dónde van a alojarse, etc. ¿Está todo organizado o necesitan reservar algo más?

renfe Billete + Reserva
PRESENTAR JUNTO BILLETE IDA
BTE PPAL: 94623007272286118
-946230072722 86126
Fecha: 19OCT07
Salida: MADRID - Pta. Atocha 09:00
Llegada: SEVILLA - Sta. Justa 11:30
Producto: ALVIA 1598
Coche: 4
Plaza: 12D
Cierre del acceso al tren 2 minutos antes de la salida
LOC.: EN1C41
018 FORMALIZACION I/V
TARJ. CREDITO
45085062******34
0710081416025
Precio:
Gastos ge
TOTAL:
IVA 7%:

renfe Billete + Reserva
VALIDEZ DE REGRESO: 60 DIAS
-946230072722 86118
AQBE8783 6304
31OCT07 18.47
Fecha: 20OCT07
Salida: CÓRDOBA Central 11:45
Llegada: MADRID - Pta. Atocha 13:30
Producto: ALVIA 1199
Coche: 2
Plaza: 05C
PREFERENTE
NO
CENA
Cierre del acceso al tren 2 minutos antes de la salida
LOC.: EN1C41
016 IDA Y VUELTA
TARJ. CREDITO
45085062******34
07100814160244
Precio: ***98,50
Gastos gestion: ****2,70
TOTAL: **101,20
IVA 7%: **6,60
Tasa de seguridad, s.o.v., e I.V.A. incluidos

Para hablar de itinerarios...

Ir / viajar A... + lugar (dirección a un destino)
Ir / viajar DE... (origen... A... destino)
Viajar EN + medio transporte
Alojarse / quedarse EN + residencia / alojamiento

Gracias por elegir Vueling para su viaje.
Su vuelo está confirmado.
¡Feliz vuelo!
VUELING AIRLINES

a Información de la reserva

Fecha de reserva: Miércoles, 10 oct 07
Número de confirmación: **EM6DDV**
Estado: **CONFIRMADO**

b Detalles del vuelo

De Milán (MXP) a Madrid (MAD)
Fecha: Jueves, 18 oct 07
Hora de salida: 16.30
Hora de llegada: 18.40
Número de vuelo: 6355
Terminal: T4

De Madrid (MAD) a Milán (MXP)
Fecha: lunes, 22 oct 07
Hora de salida: 18.30
Hora de llegada: 23.30
Número de vuelo: 6354
Terminal: 1

c Pasajeros

Fracesco Cerri
Ana Martinelli

AUTOBUSES LA JEREZANA **Línea 2:** Sevilla-Jerez-Sevilla	**RESERVA** **Fecha:** 20 de octubre de 2007 **Pasajeros:** 2 **Ida:** 10.30 - **Vuelta:** 18.30 Nº 7807
20 €	Billete a presentar a petición de cualquier empleado

Habitación 1 Huéspedes: 2 adultos
Tipo de habitación o unidad:
Habitación doble están
19-oct-2007 (2 noches
Hotel Mercaderes
C/ Quintero 9
Sevilla 41004
España
Llegada: viernes 19-
Salida: domingo 21-
Clase de hotel: Más
sobre el alojamiento

Habitación 1 Huéspedes: 2 adultos
Tipo de habitación o unidad:
Habitación doble lujo
21-oct-2007 (1 noche)
Hotel Mezquita
Pza. de las Tres Culturas
Córdoba 14011
España
Llegada: domingo 21-oct-2007
Salida: lunes 22-oct-2007
Clase de hotel: Más información
sobre el alojamiento

- *De Milán a Madrid viajan en avión.*
- *Sí, el día 18 de octubre y el 19 van a Sevilla.*

DÍA	*FECHA*	*VIAJES*	*ALOJAMIENTO*
1	*18 octubre 2007*	*Milán – Madrid en avión*	
2			
3			
4			
5			*Milán*

4. El hombre del tiempo

a Lee las descripciones de condiciones meteorológicas y piensa en un lugar con ese clima. Compara con tu compañero.

	LUGAR
Hace mucho calor en verano.	....
Hace mucho frío en invierno pero no nieva casi nunca.	....
Hace mucho viento pero hace sol casi siempre.	....
Hay muchas tormentas pero no hace frío.	....
Llueve mucho todo el año.	....

b ¿Qué tiempo va a hacer mañana en la ciudad donde estás? ¿Sabes qué dice *el hombre del tiempo*? ¿Va a cambiar el tiempo?

- *Creo que no va a cambiar el tiempo.*
- *Pues el hombre del tiempo dice que mañana va a hacer más frío.*

5. Joyas de la naturaleza

a Observa estas tres opciones de viaje. ¿Conoces estos lugares? ¿Te gustaría conocerlos? ¿Te gustaría hacer las actividades que se proponen? Elige uno de los tres y explica a tus compañeros por qué lo prefieres. ¿Qué viaje prefiere tu grupo?

- *A mí me gustaría ir a las Islas Galápagos porque me gusta mucho la playa y me gustaría nadar con los galápagos.*
- *Pues a mí me gustaría ir al Sahara porque me gustan los viajes de aventura y me gustaría conocer a la gente que vive en el desierto.*

6. Las 3 maravillas de nuestro mundo

a Piensa en lugares naturales que conoces, ¿alguno tiene las características que se mencionan en la lista? En grupos de tres, describid y comparad los lugares que proponéis.

1. *Un lugar para hacer submarinismo.*
2. *Un lugar para unas vacaciones tranquilas en contacto con la naturaleza.*
3. *Un lugar para hacer* trekking *y estar en la montaña.*
4. *Un lugar con un río para pescar.*
5. *Un lugar con bosques para pasear.*
6. *...*

b Ahora seleccionad los tres mejores lugares y presentadlos al resto de la clase.

Localizar: ¿Dónde está?

está en el norte, sur, este, oeste
está en la costa, en el interior
está a 65 km de...

¿Cómo es (el lugar)?

Es un lugar muy bonito = Es un lugar precioso, maravilloso
Es un lugar muy grande = Es un lugar enorme, impresionante

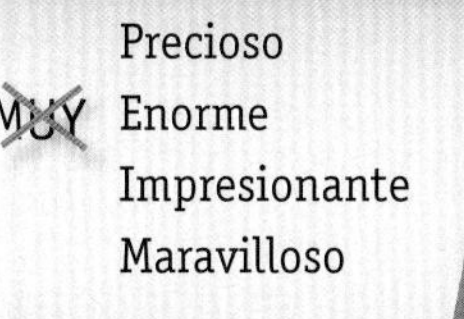

1. Las vacaciones de los españoles

a Vas a leer los resultados de una encuesta sobre las vacaciones de los españoles. Antes de leer, relaciona las siguientes ideas con los temas de las preguntas de la encuesta.

b Con tu compañero, completa la tabla de resultados de la encuesta con las palabras del ejercicio anterior. Fíjate en los porcentajes.

- *Yo creo que el 98,5% viaja en coche, ¿no?*
- *Sí, creo que sí.*

¿Dónde pasamos las vacaciones?	
España	*80,7%*
....	*19,1%*
Destinos preferidos	
Andalucía	*45,2%*
Comunidad Valenciana	*18,8%*
Cataluña	*12,3%*
¿Cuántas vacaciones tenemos?	
Media	*42,2 días naturales*
¿Cómo hacemos las reservas?	
....	*78,7%*
Por cuenta propia	*69,1%*
....	*12,1%*
¿Cómo viajamos?	
....	*98,5%*
....	*36,1%*
....	*22%*
Tren	*11,5%*
¿Donde nos alojamos?	
....	*81,8%*
Residencias de amigos o familiares	*47,1%*
....	*12,7%*
Casas rurales	*11,4%*

98,5% se lee «noventa y ocho coma cinco por ciento».

c Lee la siguiente noticia y comprueba tus respuestas.

CERCA DE LA MITAD DE LOS ESPAÑOLES PASÓ LAS VACACIONES EN CASA DURANTE EL PASADO AÑO

El 42,7% de los españoles no realizó ningún viaje de vacaciones el año pasado y los motivos principales fueron económicos, por circunstancias familiares, motivos laborales o de estudios, y de salud.

El 57,3% de los españoles que sí viajó el año pasado lo hizo principalmente por España (80,7%), mientras que el 19,1% lo hizo al extranjero.

Por comunidades autónomas, Andalucía (45,2%), Comunidad Valenciana (18,8) y Cataluña (12,3) acogieron a la mayor parte de los turistas españoles.

Los españoles eligieron como destino principal las ciudades, seguidas de la costa, la montaña y en menor medida el campo.

La tendencia advertida en el estudio es que los españoles cada vez fragmentan más sus vacaciones, ya que más de la mitad realizó más de dos viajes al año.

La mayoría disfrutó de entre dos semanas y un mes de vacaciones y la media fue de 42,2 días naturales de vacaciones. Este aumento por coger menos días y más fragmentados se percibe también en su reparto a lo largo del año.

Así, aunque julio y agosto siguen agrupando la mayor parte de los días de vacaciones, un 37,8% viajó en el segundo trimestre del año, un 27% viajó en el cuarto trimestre y un 20,2% viajó en el primer trimestre.

Respecto a las reservas u organización del viaje, el 78,7% lo hace a través de una agencia de viajes, un 69,1% también lo hace por su cuenta y el 12,1% optó en alguna ocasión por Internet. El automóvil (98,5%) es el medio de transporte más utilizado para realizar viajes de ocio, seguido del avión (36,1), autobús (22) y tren (11,5).

En cuanto al alojamiento, el 81,8% optó por un hotel, el 47,1 también eligió en alguno de sus viajes residencias de amigos o familiares, el 12,7% apartamentos alquilados y el 11,4%, casas rurales. Finalmente, la mayoría de los españoles elige viajar con su pareja, con amigos o con su pareja y los hijos menores. Y la satisfacción media de los viajes obtuvo una nota de 8,7 puntos sobre diez.

www2.noticiasdot.com/2004/0704/1407/viajes-140704-5.htm

d ¿Cómo pasa la gente las vacaciones en tu país? Coméntalo con tus compañeros.

- *En mi país mucha gente pasa las vacaciones en el extranjero.*
- *En mi país también.*

2. Otras formas de viajar

a Estos son algunos viajes que propone la agencia Años Luz. Lee la información y señala si las siguientes afirmaciones son verdaderas o falsas.

	V/F
1. Es una agencia de viajes para familias con niños pequeños.	☐☐
2. Es una agencia de viajes especializada en hoteles de lujo.	☐☐
3. Es una agencia de viajes de aventura.	☐☐

b Lee las siguientes descripciones. ¿A qué viaje corresponde cada una?

1 Este es un viaje para disfrutar de una naturaleza generosa, para extasiarse ante la belleza de lagos, fiordos, volcanes y glaciares y para gozar de la idea de pisar el fin del mundo. Desde la capital chilena, Santiago, bajamos a Pucón, en el corazón de la región de los lagos y bajo la figura de cono perfecto del volcán Villarrica. Después seguimos hacia el Parque Nacional de Puyehué y la mágica isla de Chiloé. De ahí saltamos a la Patagonia para conocer Punta Arenas y Puerto Natales, ambos puertos marinos. Vamos a andar en el Parque Nacional Torres del Paine y, una vez en Argentina, en el macizo del Fitz Roy. Por último, tres grandiosos espectáculos naturales: el glaciar Perito Moreno, la bahía de la mítica Ushuaia, la ciudad más austral del mundo, y las colonias de mamíferos marinos de Península Valdés. Como despedida del continente americano, Buenos Aires, una de las más imponentes capitales del hemisferio sur.

2 Todos conocemos la belleza del grandioso e inhóspito altiplano, pero en nuestro viaje descubrirás impresionantes parajes como el Salar de Uyuni, uno de los espectáculos más insólitos y fascinantes de la naturaleza, al igual que las intensas aguas de Laguna Verde, y Laguna Colorada. Nuestra etapa en el altiplano visita, en Copacabana, el legendario Lago Titicaca por el que navegaremos a la Isla del Sol y Luna tras visitar el Parque Nacional de Sajama y una joya arqueológica, Tiwanacu. Terminamos la ruta con una incursión a la Amazonia boliviana donde se visitan comunidades nativas, además de cabalgar por la pampa y la llanura. Por supuesto que no dejaremos de visitar La Paz, en la que se confunden modernos edificios, construcciones coloniales, e infinidad de mercados.

c Piensa con tu compañero en otro viaje que puede ofrecer la agencia Años Luz.

d ¿Te gustan los viajes de aventura o prefieres otro tipo de viajes? Comenta tus experiencias con tus compañeros.

- *A mí me gustan los viajes culturales, ver ciudades, visitar monumentos…*
- *A mí sí me gustan los viajes de aventura, conocer lugares lejanos y subir montañas.*

1. Preguntar e informar sobre intenciones y planes

- ¿Qué vas a hacer este fin de semana?
- Voy a salir con mis amigos.

- ¿Donde vas a ir de vacaciones?
- Voy a ir a Cádiz, a la playa.

	Presente de IR + a + infinitivo		
Yo	voy		
Tú	vas		
Usted / él / ella	va	a	infinitivo
Nosotros / nosotras	vamos		
Vosotros / vosotras	vais		
Ustedes / ellos / ellas	van		

Para planes inmediatos, también se utiliza el presente de indicativo:
Esta noche ME QUEDO en casa. ¡Qué bien!

2. Expresar deseos

Quiero conocer Colombia
Quiero aprender chino
Quiero ir a un hotel con piscina
Quiero estudiar piano

QUERER + INFINITIVO

Me gustaría ir a Costa Rica
Me gustaría aprender árabe
Me gustaría ir a un restaurante japonés
Me gustaría estudiar piano

ME GUSTARÍA + INFINITIVO

3. Preposiciones

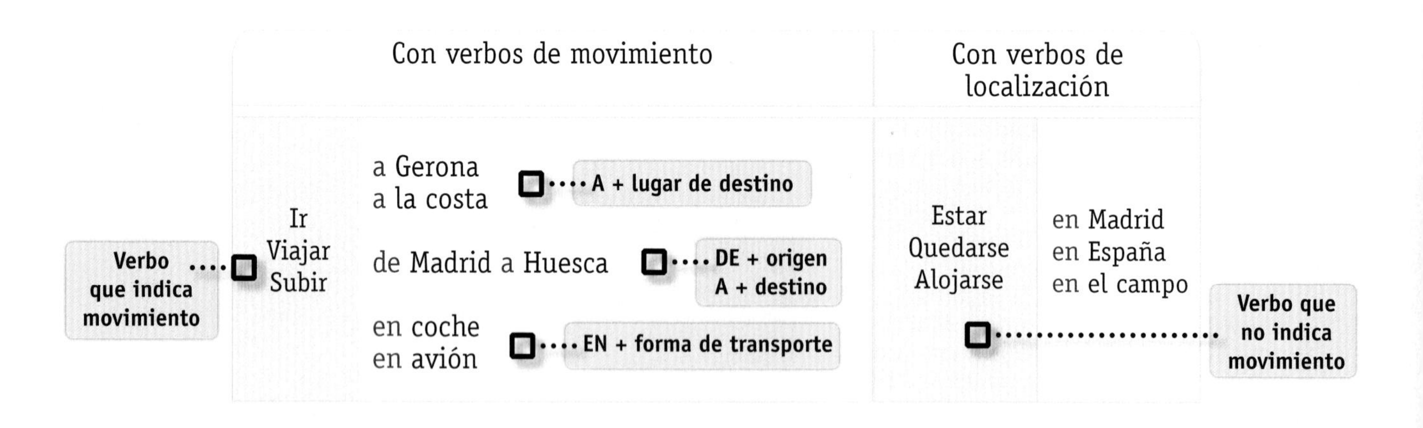

4. Para Hablar del tiempo

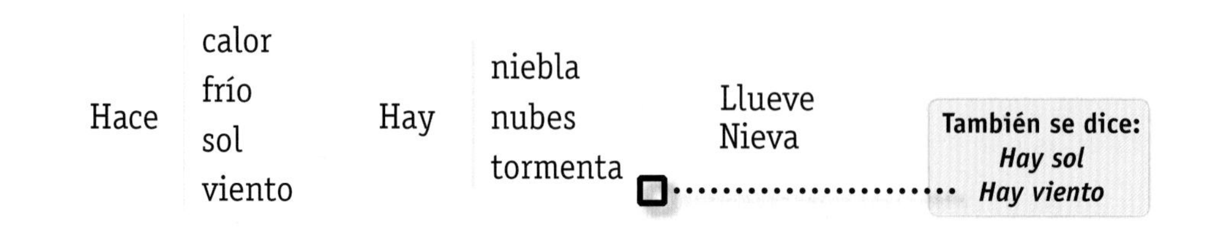

Repaso 1

Jugamos y repasamos

- En 90 segundos
- Cursos de primera

CURSOS DE PRIMERA

La Agencia ELE ha convocado un concurso entre los estudiantes de español que utilizan este libro. ¿Participamos?

1. ¿Qué hacemos?

Preparar una presentación oral y exponerla al resto de la clase.

a) Formad grupos de tres personas.

b) Elegid el tema de la presentación (un grupo elige uno o más temas)

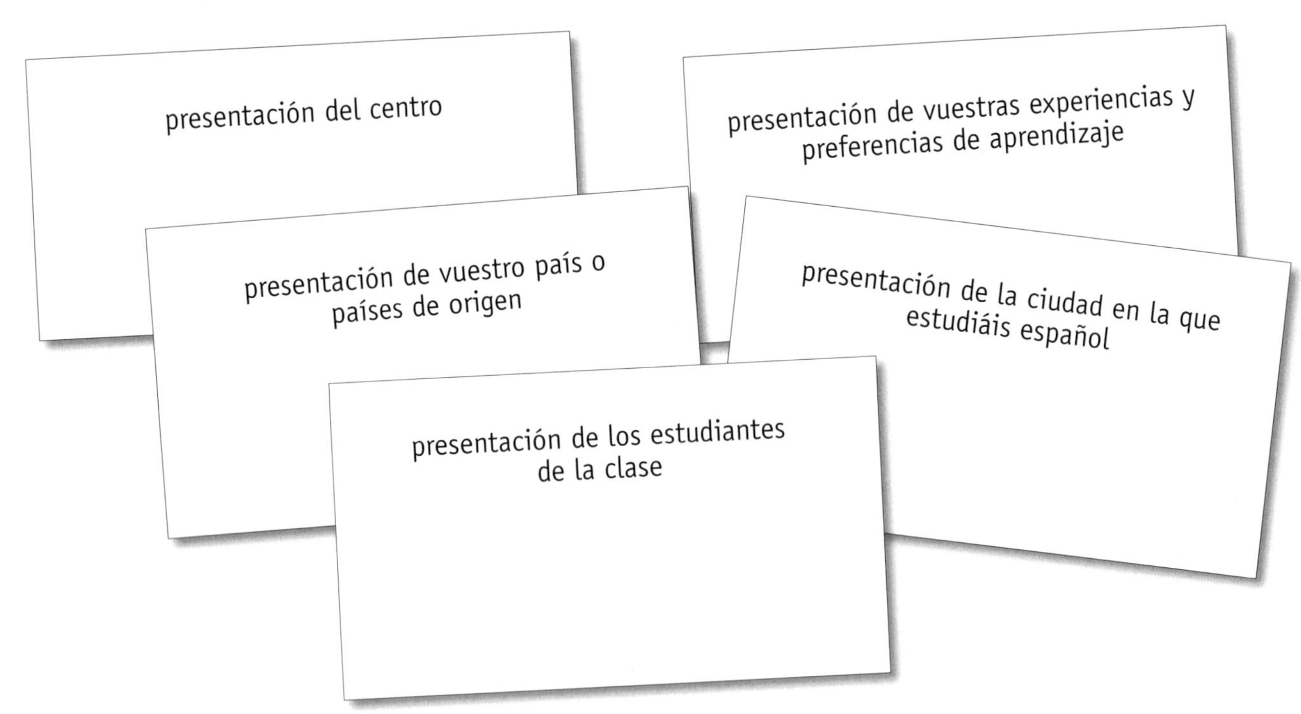

c) Elegid el modo de presentación:

- Presentación grabada en vídeo
- Presentación con apoyo de ordenador (Power Point)
- Presentación con apoyo de material gráfico (póster, fotos, etc.)

2. ¿Quién/quiénes es/son?

En el grupo. Decidimos quiénes son:

El director El cámara El presentador

3. Manos a la obra: Seguid los pasos siguientes

a) Haced una lista o asociograma con la información que se os ocurra relacionada con el tema (lluvia de ideas). Por ejemplo:

b) Decidid el formato de la exposición: entrevista (un alumno o más como entrevistador/es), exposición ordenada, interacción espontánea, una historia, etc.

c) Ensayad en clase o fuera de la clase.

d) Grabad o preparad el soporte gráfico.

e) Presentad al resto de la clase.

Los compañeros valoran la exposición y deciden cómo se envía al concurso.

Aquí tenéis los cuatro aspectos más importantes:

EN 90 SEGUNDOS

Vamos a repasar las seis unidades anteriores jugando a las cartas en grupo.

Materiales Necesarios Para Jugar:

Pondría una imagen ilustrativa de cada una de estas cosas

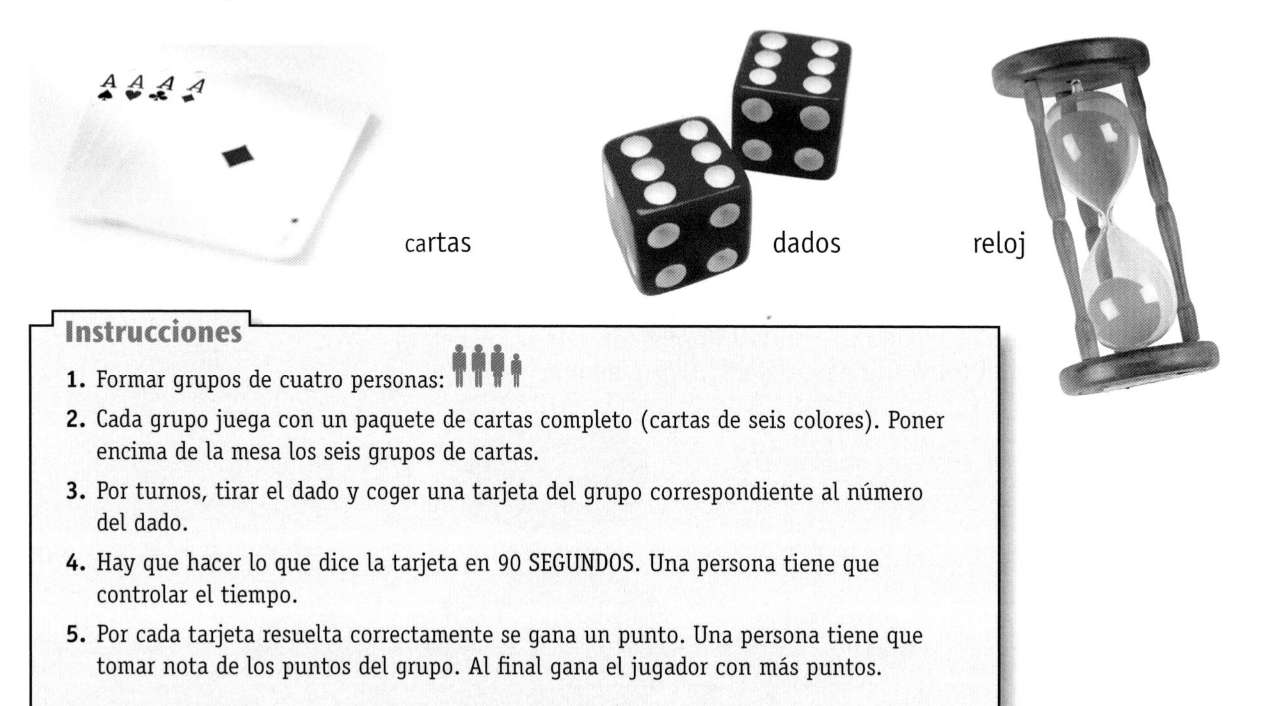

Instrucciones

1. Formar grupos de cuatro personas:
2. Cada grupo juega con un paquete de cartas completo (cartas de seis colores). Poner encima de la mesa los seis grupos de cartas.
3. Por turnos, tirar el dado y coger una tarjeta del grupo correspondiente al número del dado.
4. Hay que hacer lo que dice la tarjeta en 90 SEGUNDOS. Una persona tiene que controlar el tiempo.
5. Por cada tarjeta resuelta correctamente se gana un punto. Una persona tiene que tomar nota de los puntos del grupo. Al final gana el jugador con más puntos.

Cartas y acciones

GRUPO 1 (CARA 1 DEL DADO) CARTAS BLANCAS, PREGUNTAS: responder una pregunta.

GRUPO 2 CARTAS AZULES, RESPUESTAS (CARA 2 DEL DADO): formular la pregunta correspondiente.

GRUPO 3 CARTAS VERDES, BLA, BLA, BLA (CARA 3 DEL DADO): hablar 90 SEGUNDOS sobre el tema de la carta.

GRUPO 4 CARTAS AMARILLAS, ERRORES (CARA 4 DEL DADO): localizar y corregir los errores de información sociocultural sobre España e Hispanoamérica.

GRUPO 5 CARTAS NARANJAS, MÍMICA (CARA 5 DEL DADO): hacer en mímica la acción de la carta. Los compañeros tienen que adivinar la acción.

GRUPO 6 CARTAS ROJAS, IMÁGENES (CARA 6 DEL DADO): describir la imagen sin utilizar la palabra de la carta. Los compañeros tienen que adivinar la acción.

descarga las cartas en www.sgel.es/ele

7 El menú del día

En esta unidad vamos a aprender:

- A hablar de hábitos de alimentación
- Los nombres de las comidas, las bebidas y los platos
- A pedir comidas y bebidas en un restaurante
- A decidir el menú de una comida

1. Ñam, ñam

Observa estas imágenes de comidas. ¿Te gustan? ¿Forman parte de tu dieta? ¿Las comes a menudo? ¿Cuándo las comes? Coméntalo con tus compañeros.

① Comidas del día

Por la mañana...	A mediodía...	Por la tarde...	Por la noche...
el desayuno	**la comida**	**la merienda**	**la cena**
desayunar	comer	merendar	cenar

① La palabra *comida* tiene tres significados:
- *La **comida** mediterránea es muy buena.*
- *El desayuno es mi **comida** favorita.*
- *Hoy tengo una **comida** con unos clientes a las 2.*

■ *Yo como fruta en el desayuno...*
● *Pues yo para desayunar y para merendar.*
▲ *Pues yo no como fruta casi nunca. No me gusta.*

2. Platos e ingredientes

a Mira las fotos y comenta con tu compañero qué alimentos tiene cada plato.

3. Ensalada de...

¿Te gusta cocinar? ¿Cuántos platos puedes imaginar con estos elementos? Con tu compañero, relacionad las dos columnas y escribid una lista. Luego comparad las listas de toda la clase.

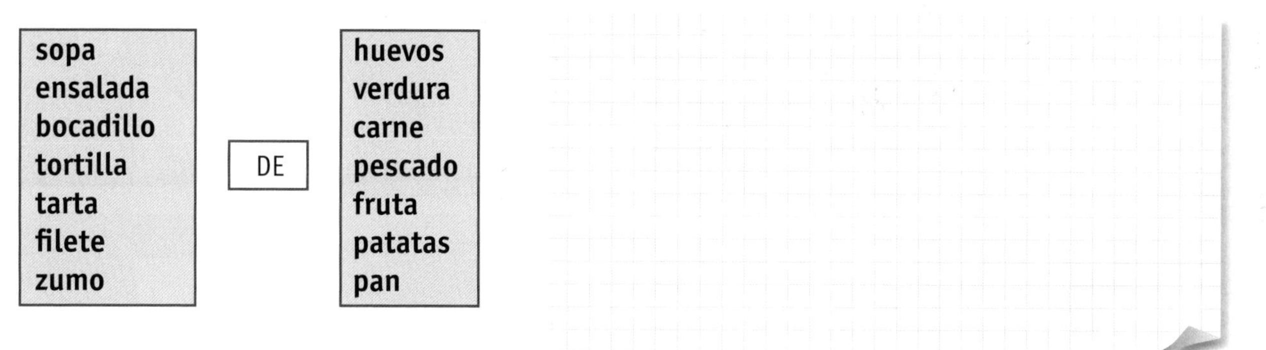

4. ¿Blanco o tinto?

Pregunta a tu compañero cómo toma estas bebidas.

- *¿Cómo tomas el café normalmente?*
- *Solo y con azúcar. ¿Y tú?*
- *Con leche y con azúcar también.*

5. ¿Qué comemos hoy?

Completa el menú con las palabras que faltan. Compara con tu compañero.

De primero, sopa

a Rocío e Iñaki están preparando un reportaje sobre los hábitos de la gente en la hora de la comida. Antes de salir charlan con Luis y Paloma.

b A partir de las entrevistas de Rocío, ¿cuál de estos titulares recoge mejor las preferencias de la gente?

LAS MUJERES PREFIEREN EL MENÚ DEL DÍA

SOLO UNA DE CADA TRES PERSONAS COME EN CASA

LOS BOCADILLOS, COMIDA RÁPIDA PARA JÓVENES Y MAYORES

1. ¿Tú o usted?

a ¿Qué tratamiento da Rocío a las personas que entrevista, formal o informal? Lee de nuevo el cómic y escribe en cada caso si es *tú, vosotros, usted* o *ustedes*.

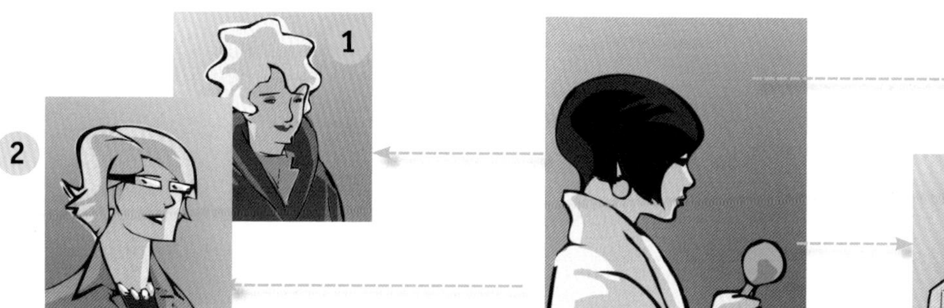

b ¿Y el tratamiento entre los compañeros de trabajo?

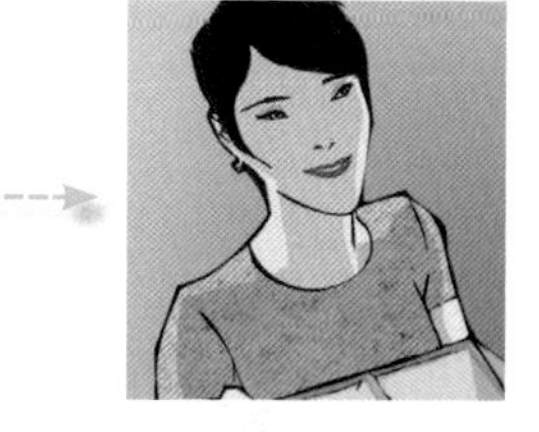

c Estos son los factores que determinan el uso de *usted*. ¿Cuáles están presentes en la entrevista de Rocío?

FACTORES	Entrevistas de Rocío	
1. Diferencia de edad: tratamiento más formal para personas mayores	Sí ❑	No ❑
2. Relación entre las personas: tratamiento más formal para desconocidos	Sí ❑	No ❑
3. Situación y papel de las personas: tratamiento más formal con clientes	Sí ❑	No ❑

d Completa el cuadro con las formas de los verbos que corresponden a los tratamientos *tú, usted, vosotros* y *ustedes*.

	ir	comer	desayunar	preferir
Tú				
Usted				
Vosotros				
Ustedes				

2. Una pregunta más, por favor

a Aquí tienes algunas preguntas más de las entrevistas de Rocío. ¿A quién va dirigida cada una? Fíjate en los verbos (forma *tú, usted, ustedes, vosotros*) y relaciona las preguntas con el número de la persona entrevistada.

A • *¿A qué hora comes?* — 1
B • *¿Cuánto tiempo tienen para comer?* — 2
C • *¿Tomáis alcohol en las comidas?* — 3
D • *¿Toman postre o café después de comer?* — 4
E • *¿Ve la televisión o realiza otra actividad mientras come?*

b ¿Y tu compañero? ¿Dónde come hoy? ¿Qué va a comer? ¿Cuáles son su hábitos? Prepara las preguntas para hacer entrevista paraecida a tu compañero.

ENTREVISTA A ______________	
1. ¿Dónde comes normalmente?	**5.**
2. ¿Qué comes?	**6.**
3.	**7.**
4.	**8.**

3. En el restaurante

34 **a** Escucha las conversaciones de las personas de Agencia ELE con el camarero del resturante Los Arcos y marca en el menú lo que pide cada uno.

34 **b** Escucha de nuevo y completa el cuadro.

Para llamar al camarero	..............., **por favor.** ...., **por favor.**
Para decir los platos elegidos	..............., **ensalada y,** .... **, salmón.**
Para pedir algo que falta en la mesa	¿............... **un poco más de pan?**
Para pedir la cuenta	..............., **por favor.**

c ¿Qué tratamiento utiliza el camarero con los clientes, *tú* o *usted*? ¿Y los clientes con el camarero?

d Imagina que estás en el restaurante Los Arcos. Practica esta situación con tus compañeros, uno es camarero y los otros clientes.

4. Alimentación equilibrada

a Para tener una alimentación equilibrada, ¿qué cantidad diaria debemos tomar de cada tipo de alimento? Relaciona los elementos de las dos columnas y comenta tus resultados con tu compañero.

Recuerda, para comparar: *más* y *menos*

- *Yo creo que lácteos son dos porciones diarias.*
- *¿Tú crees? Yo creo que es más, tres o cuatro.*

35

b Escuchad la conversación de Luis con el doctor Magro y comprobad vuestras hipótesis.

c ¿Cómo es la alimentación de Luis? ¿Come Bien? Escucha otra vez y toma nota de las recomendaciones del doctor.

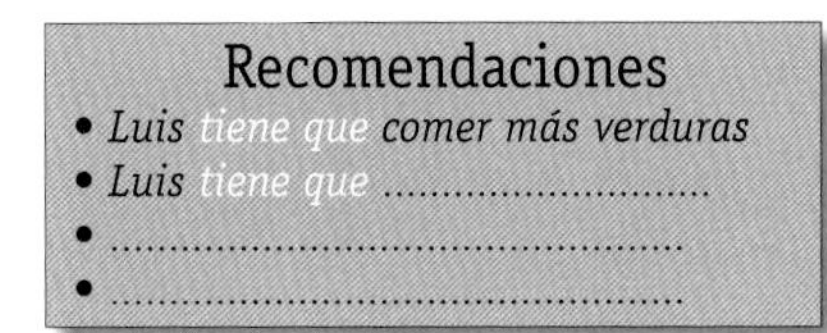

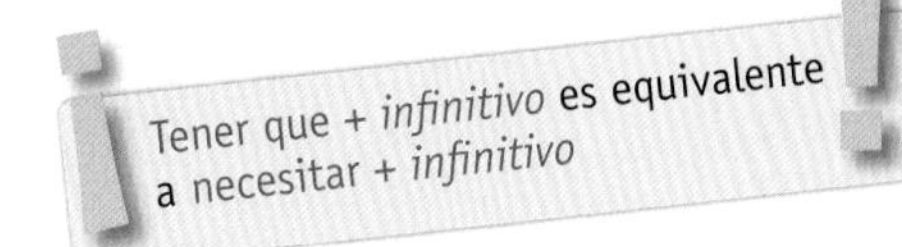

d ¿Tu dieta es equilibrada? ¿Y la de tus compañeros? Comentad vuestros hábitos en grupos. ¿Quién come mejor?

5. El menú de la semana

Este es el menú semanal de una escuela. Habla con tu compañero y entre los dos completad el menú con los platos de la derecha.

	Lunes	Martes	Miércoles	Jueves	Viernes
1.er Plato		pasta	ensalada o verdura		legumbre con verduras
2.º Plato	legumbre con arroz			carne con ensalada	
Postre	fruta	fruta	fruta	fruta	lácteos

Pescado con patatas o ensalada
Verdura con patatas
Arroz con carne, huevo o pescado
Pescado con ensalada o verduras
Ensalada mixta

- *Pescado con patatas o ensalada es un segundo plato, ¿no?*
- *Sí. ¿Para el miércoles?*
- *Creo que no, porque el miércoles de primero hay ensalada.*

De primero **hay...**
De segundo **hay...**

6. Menú especial

En las siguientes situaciones se necesitan menús especiales. Con dos compañeros, elegid una situación de la lista o una que vosotros queráis y pensad los platos del menú del día. Luego presentadlo al resto de la clase.

Menú para deportistas
Menú para perder peso
Menú para el verano
Menú para el invierno
Menú para........

Menú para ....
Primer plato
....
Segundo plato
....
Postre
....

1. Desayunos del mundo hispano

a Mira estas fotografías. ¿Con qué momento del día relacionas estos productos?

Churros con chocolate

Arepas

Frijoles

Jamón y embutidos

Galletas

Tortillas

Zumo de naranja

Bollos

b Lee estos textos de internet. ¿En qué países se comen los productos de las fotos? Busca con tu compañero qué tienen en común los tres desayunos.

Desayuno español

En España, un desayuno tradicional es chocolate con churros. Durante los días laborables, se suele tomar café con leche. La parte sólida puede estar formada por galletas, bollos, o pan tostado con mantequilla, aceite de oliva, miel o mermelada. También es frecuente beber zumo de naranja natural. En España, durante los días laborables, se suele hacer un segundo desayuno entre las 10 y las 12 de la mañana. Es común que este desayuno, a veces denominado almuerzo, se tome en bares situados cerca del lugar de trabajo.

Desayuno mexicano

En los desayunos fuertes de México, que bien pueden constituir un almuerzo, el platillo central suele ser huevos preparados de distintas formas, acompañados de frijoles con chile y tortillas. El zumo (o jugo) de naranja (o de alguna otra fruta) es también un elemento indispensable. En muchas regiones también son comunes los desayunos rápidos basados en tamales o pan dulce acompañados por café con leche o atole. En el norte del país se acostumbra la «machaca» (carne seca y deshebrada) que puede comerse en burritos (tacos con tortilla de harina), o con huevo.

Desayuno venezolano

En la mayoría de los hogares venezolanos el desayuno consiste en arepa rellena y café con leche. La arepa esta hecha de harina de maíz, tiene forma redonda aplastada y varía de tamaño según las costumbres de cada región. Casi siempre se abre por la mitad horizontalmente y se pone mantequilla, se rellena con queso blanco rallado o cualquier otro alimento (carne mechada, jamón y queso amarillo, etc.).

http://www.alimentacion-sana.com.ar/informaciones/Nutricion/desayuno%202.htm

c ¿Cómo es un desayuno típico de tu país o región? ¿Se parece a alguno de estos? Cuéntalo a la clase.

2. Desayuno en el bar

36

a En un programa de radio habla un camarero de un café de Madrid sobre las costumbres de sus clientes para desayunar. Compara esta información con el texto sobre España. ¿Se dice lo mismo? Habla con tu compañero.

- *En la entrevista no hablan del segundo desayuno...*
- *Sí, es verdad.*

b Escucha de nuevo y completa la ficha.

¿A qué hora empieza el desayuno? ....
¿Cuál es el desayuno más frecuente? ....
¿Cuánto tiempo tardan los clientes en desayunar? ....
¿Hasta qué hora se puede desayunar? ....

3. Un buen desayuno

a Observa la foto de una campaña del Ministerio de Sanidad y Consumo con recomendaciones para un buen desayuno. ¿Es tu desayuno completo y sano? ¿Cuáles de los alimentos de la imagen tomas tú para desayunar? Habla con tu compañero, ¿quién desayuna mejor?

¡Despierta desayuna!
¡DA EL PRIMER PASO PARA LA ALIMENTACIÓN SALUDABLE DE TUS HIJOS!
POR LA MAÑANA ¡UN BUEN DESAYUNO!
Y ¡HAZ QUE SE MUEVAN!
www.msc.es

b En el programa de radio de antes, tres personas llaman por teléfono y explican cómo son sus desayunos. Escucha las conversaciones y toma nota de qué come cada una. ¿Cuál de las tres toma el desayuno más completo?

café con leche
café solo
zumo de naranja
mermelada
pan
tostadas
bollos
jamón
queso
fruta
yogur con cereales

1 *Tamara*
....
....
....

2 *Celi*
....
....
....

3 *Teresa*
....
....
....

c ¿Existen en tu país campañas con recomendaciones sobre la dieta, la alimentación o el consumo de alimentos concretos? Coméntalo con tus compañeros.

- *En mi país hay una campaña para beber más leche y otra para consumir carne de cerdo.*

1. Comidas del día

Momento del día	Sustantivo	Verbo
Por la mañana	el desayuno	desayunar
A mediodía	la comida	comer
Por la tarde	la merienda	merendar
Por la noche	la cena	cenar

2. Uso de *tú* o *usted*

Tú ⟷ FACTORES ⟷ Usted

- formal

Diferencia de edad:
Tratamiento más formal para personas mayores

Relación entre las personas:
Tratamiento más formal para desconocidos

Situación y papel de las personas:
Tratamiento más formal con clientes

+ formal

¿**Tú comes** en casa o fuera?

¿**Usted come** en casa o fuera?

3. Recursos para pedir en el restaurante

Para llamar al camarero	¡Oiga, por favor! ¡Camarero, por favor!
Para decir los platos elegidos	**De primero**, sopa y, **de segundo**, salmón.
Para pedir la cuenta	La cuenta, por favor.

4. El menú del día

- ¿Qué hay para comer?

■ De primero **hay** macarrones, de segundo **hay** pollo y de postre, fruta.

8 Se alquila piso

1 2  3  4  5

En esta unidad vamos a aprender a:

- Describir las partes de una casa y los muebles que contiene
- Hablar de tareas, hábitos y rutinas domésticas
- Establecer normas de convivencia para la casa
- Pedir permiso y responder a peticiones de otras personas
- Ofrecer algo y responder a un ofrecimiento
- Nombrar los colores

1. Las partes de la casa

a Mira este plano y las fotos de la página anterior. ¿Qué foto corresponde a cada parte del plano?

- *La foto número 3 es el despacho, ¿no?*
- *Sí, me parece que sí.*

b ¿Tu casa tiene las mismas habitaciones que la del plano? ¿En qué se diferencia? Habla con tu compañero.

- *Mi casa tiene dos dormitorios y también tiene una terraza, pero no tiene despacho.*

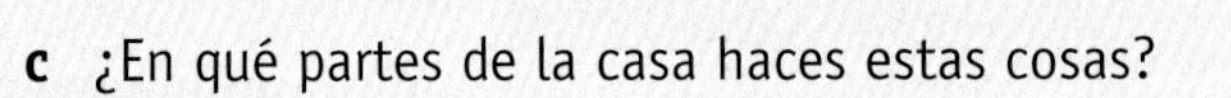

c ¿En qué partes de la casa haces estas cosas?

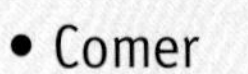

- Ver la tele
- Comer
- Leer
- Hacer la comida
- Lavar la ropa
- Estudiar español

- *Yo siempre veo la tele en el dormitorio. ¿Y tú?*
- *Yo, en el salón.*

2. Los colores

a Fíjate en las imágenes y completa el cuadro. Escribe todas las formas de cada palabra.

Un armario marrón

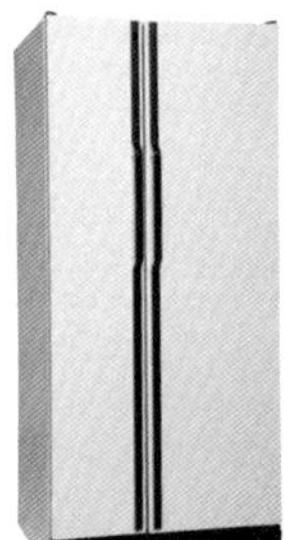

Una nevera blanca

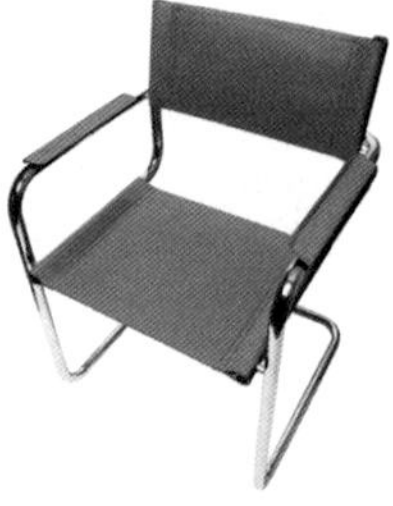

Una silla azul

Una estantería amarilla

Un sofá rojo

Una cama verde

Una mesa gris

Un sillón naranja

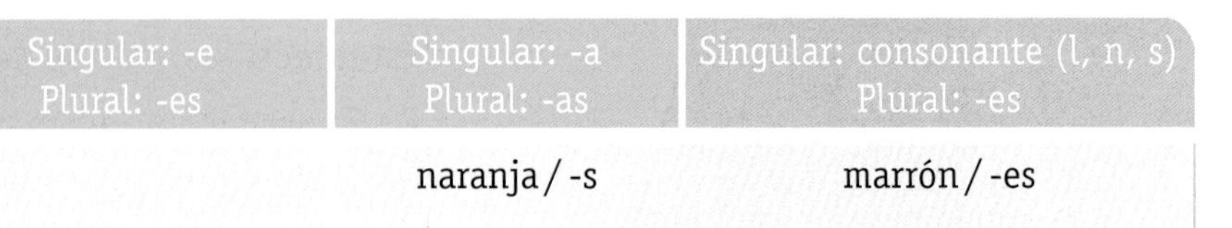

Singular: -o / -a Plural: -os / -as	Singular: -e Plural: -es	Singular: -a Plural: -as	Singular: consonante (l, n, s) Plural: -es
		naranja / -s	marrón / -es

b Elige uno de estos muebles y descríbelo. Tu compañero tiene que adivinar cuál es.

- *Una mesa pequeña, moderna, negra, con una televisión...*
- *¿Es esta?*
- *Sí, es esta.*

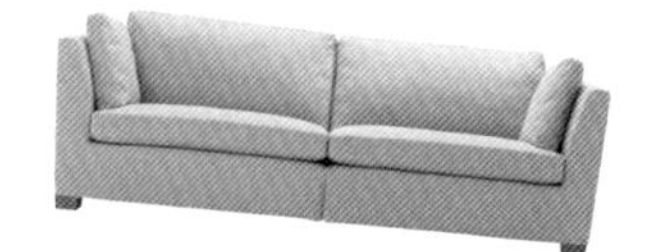

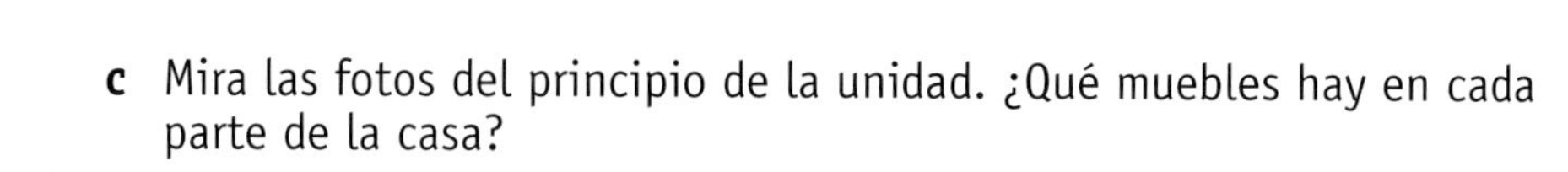

c Mira las fotos del principio de la unidad. ¿Qué muebles hay en cada parte de la casa?

Una mesa	Una silla
Una cama	Un sofá
Un sillón	Unos armarios
Un ordenador	Unas estanterías
Una lavadora	Una nevera

El despacho | El salón | El dormitorio | La cocina | El baño

3. Tipos de casa

a Un sitio web publica estos anuncios de casas. ¿Qué foto corresponde a cada anuncio?

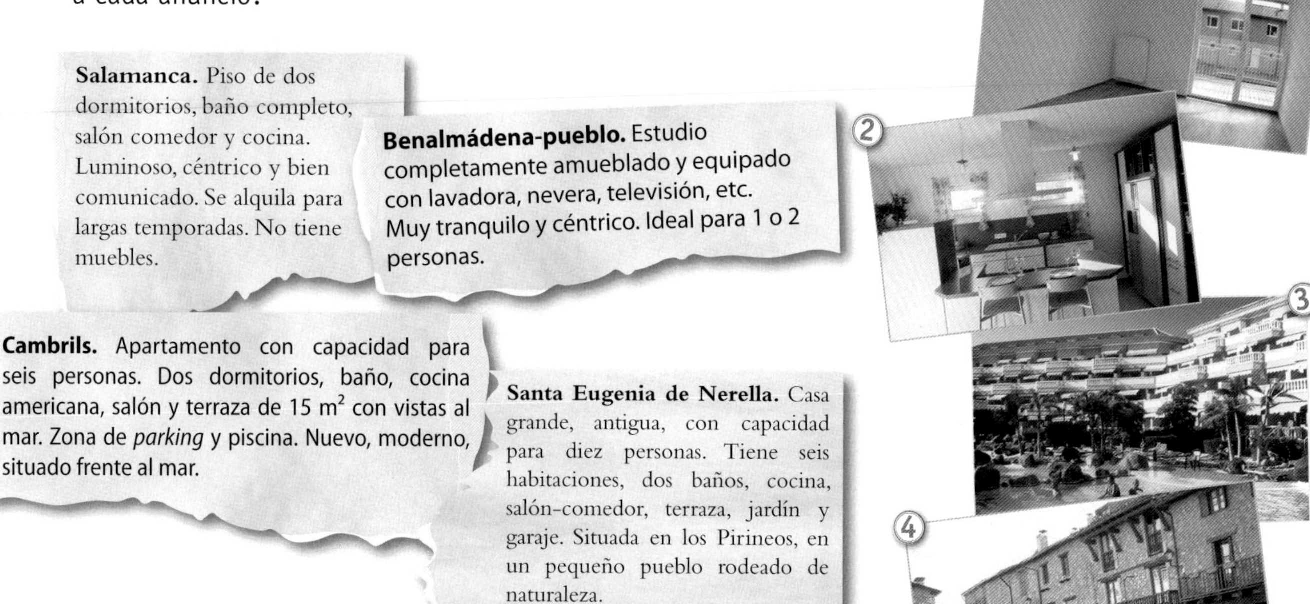

Salamanca. Piso de dos dormitorios, baño completo, salón comedor y cocina. Luminoso, céntrico y bien comunicado. Se alquila para largas temporadas. No tiene muebles.

Benalmádena-pueblo. Estudio completamente amueblado y equipado con lavadora, nevera, televisión, etc. Muy tranquilo y céntrico. Ideal para 1 o 2 personas.

Cambrils. Apartamento con capacidad para seis personas. Dos dormitorios, baño, cocina americana, salón y terraza de 15 m^2 con vistas al mar. Zona de *parking* y piscina. Nuevo, moderno, situado frente al mar.

Santa Eugenia de Nerella. Casa grande, antigua, con capacidad para diez personas. Tiene seis habitaciones, dos baños, cocina, salón-comedor, terraza, jardín y garaje. Situada en los Pirineos, en un pequeño pueblo rodeado de naturaleza.

b Habla con tu compañero. ¿Qué casa prefieres tú para las vacaciones? ¿Por qué?

- *Yo prefiero la casa de Santa Eugenia. Me gusta la montaña, y en mi familia somos ocho personas.*

Se alquila piso

38 **a** Sergio y Paloma miran pisos. Escucha y lee.

b En este resumen del cómic hay dos informaciones falsas. ¿Cuáles son? Corrígelas.

Sergio y Paloma quieren vivir juntos y por eso buscan un piso. Visitan un piso en Latina, pero tiene pocos muebles y la cocina está mal equipada. No corresponde a lo que dice el anuncio. También visitan un piso en Cuzco, pero tiene dos problemas: es muy caro y está prohibido invitar amigos a la piscina. Al final, Sergio y Paloma escriben un reportaje sobre las dificultades de alquilar un piso por menos de mil euros.

1. ¿Qué es eso?

a Lee estas frases del diálogo. ¿Qué explicación corresponde a cada frase?

1	■ *¿Y dónde están los muebles?* ● *Son esos.*
2	■ *¿Y esa puerta es la de la cocina?* ● *No, la del baño.*
3	■ *¿Y eso qué es? ¿Un armario?* ● *No, eso es la cocina.*
4	■ *Ese piso está muy bien, pero..., ¡es muy caro!*

A	*Señalar un objeto femenino singular: una puerta.*
B	*Señalar o indicar un objeto que no sabe identificar.*
C	*Señalar un objeto masculino plural: unos muebles.*
D	*Referirse a un objeto masculino singular: un piso.*

b Completa con ESO o ESE.

➤ Utilizamos .... para señalar o referirnos a una cosa masculina singular, cuando sabemos qué es. Por ejemplo: .... libro es de María, ¿verdad?

➤ Utilizamos .... para señalar o referirnos a una cosa que no conocemos, o que no podemos identificar. Por ejemplo: ¿Qué es ....? ¿Es un libro?

2. ¿Quiere(s)...? / ¿Se puede...?

a Completa con frases del cómic.

■ ¿..............................?
....
▲ *No, gracias.*

■ *¿Se puede venir con amigos, o es solamente para los vecinos?*
● *Sí, se puede venir con amigos, pero* ....
....

b Mira otra vez los diálogos y completa los siguientes cuadros.

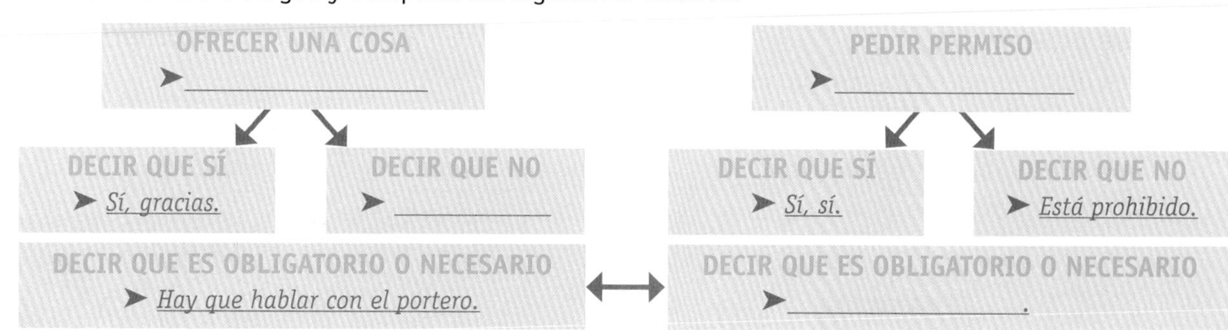

c ¿Qué significan estas señales? ¿En qué lugares las puedes encontrar? Habla con tu compañero y luego, entre los dos, escribid el texto más adecuado para cada una.

1	2	3	4	5
No se puede comer	....	....	....	....

3. Verbos irregulares

a Fíjate en el verbo JUGAR, que ya conoces, y completa el presente de PODER.

	Presente de JUGAR	Presente de PODER
Yo	juego	puedo ①
Tú	juegas	....
Usted / él / ella	juega	....
Nosotros / nosotras	jugamos	podemos
Vosotros / vosotras	jugáis	....
Ustedes / ellos / ellas	juegan	pueden

① Hay otros verbos frecuentes que cambian o por ue. Por ejemplo: acostarse, dormir, etc.

b Completa el verbo VESTIRSE.

	Presente de VESTIRSE ②
Yo	me ....
Tú	te vistes
Usted / él / ella	....
Nosotros / nosotras	nos vestimos
Vosotros / vosotras	os vestís
Ustedes / ellos / ellas	.... visten

② «Nos vestimos» y «os vestís" son las únicas formas con e.

③ También con «acostarse»: me acuesto, te acuestas, se acuesta, etc.

4. Verbos reflexivos

Fíjate ahora en el verbo LLAMARSE y completa los verbos LAVARSE y DUCHARSE. ③

	Presente de LLAMARSE	Presente de LAVARSE	Presente de DUCHARSE
Yo	me llamo	me lavo	....
Tú	te llamas	....	te duchas
Usted / él / ella	se llama	....	....
Nosotros / nosotras	nos llamamos	nos lavamos	....
Vosotros / vosotras	os llamáis	....	os ducháis
Ustedes / ellos / ellas	se llaman	....	....

5. ¿En qué orden?

a Lee otra vez el cómic. ¿En qué orden hacen la visita en el piso de Cuzco?

1.º ....

2.º ....

3.º ....

ver el piso

ver el garaje

ver la piscina

b En los diálogos, ¿con qué palabras se indica el orden?

1.º ....Primero.............

2.º ....

3.º ....

39 **c** Escucha las grabaciones. ¿En qué orden hacen las cosas los personajes?

1
- lavar la ropa
- ir al supermercado
- ir al banco

2
- lavar los platos
- hacer la comida
- limpiar la casa

3
- vestirse
- ducharse
- desayunar

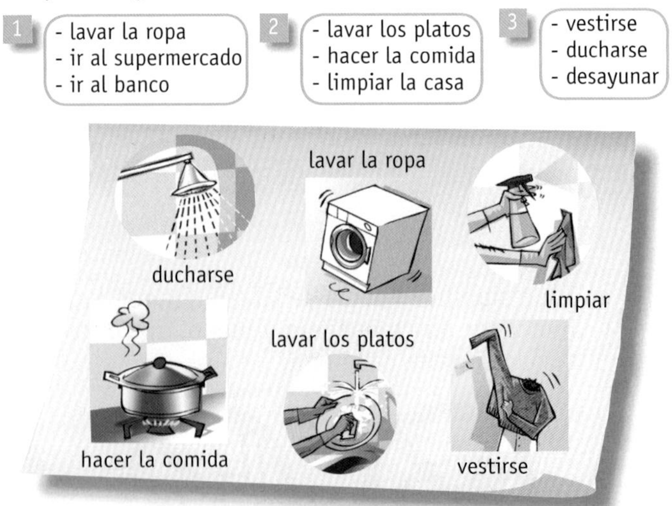

d ¿Y tú? ¿Qué haces cuando te levantas por la mañana? ¿En qué orden? Habla con tu compañero.

- *Primero, me ducho. Después, me visto. Por último, desayuno.*
- *Pues yo, primero desayuno y después me ducho y me visto.*

6. ¡Qué casa!

a Completa las descripciones con estas palabras (adjetivos). Atención al masculino, femenino, singular o plural.

amarilla, amarillas, azul, azules, blanca, blanco, comunicada, céntrica, equipada, grandes, marrones, moderna, pequeño, tranquila

1. *Mi nueva casa es céntrica, tranquila y está bien ...., con metro y autobús muy cerca. ¡Qué contenta estoy!*

2. *Tengo muebles nuevos en el salón. Los colores son muy bonitos: un sofá .... y una mesa ...., con sillas .... y ....*

3. *Me gusta mucho la nueva cocina de la casa de Juan. Es .... y está bien .... La nevera y la lavadora son nuevas, ..., muy elegantes, de color .... Pero el salón es un poco .... ¡Y no tiene televisión, ni DVD!*

4. *Las estanterías del despacho son ...., y la mesa es .... Para la silla, ¿qué color es mejor?*

40 **b** Ahora escucha las descripciones y comprueba. ¿Es lo que tú pensabas?

c ¿Cómo es tu casa? ¿Qué cosas te gustan y cuáles no te gustan? Habla con tu compañero.

- *Yo vivo en un piso pequeño, en el centro. Tiene una terraza pequeña, salón y dos dormitorios. Es un piso muy cómodo, pero no es muy tranquilo...*

7. Un anuncio de alquiler

Vas a estar de viaje durante unos meses y quieres alquilar tu casa. Escribe el anuncio. Puedes utilizar como modelo los anuncios de la actividad 3 de la página 75 y los del cómic de Agencia ELE (pág. 76). Antes de escribir, piensa:

- ¿Qué características importantes tiene tu casa? (¿Dónde está? ¿Cómo es?...)
- ¿Cuánto dinero vas a pedir?
- ¿Alguna condición especial? (¿Se puede fumar?...)

¡Antes de escribir un texto, es importante pensar y organizar las ideas. También es importante buscar modelos.!

8. Compartir piso

a Vas a compartir piso con dos compañeros. Entre los tres, decidid normas de convivencia sobre:

- cosas que se pueden y no se pueden hacer
- horarios para hacer algunas cosas

Escribid una pequeña lista y leedla a la clase.

En este piso...
No se puede ver la tele en el salón después de las 12:00.
No se puede escuchar música fuerte por la noche.
Hay que pedir permiso a los compañeros para hacer fiestas.

Se puede + infinitivo
No se puede + infinitivo
Hay que + infinitivo
No hay que + infinitivo

b Tus compañero y tú vais a pintar el salón y la cocina, y cambiar la decoración. Hablad y decidid qué vais a hacer:

- de qué color vais a pintar el salón y la cocina
- qué muebles vais a comprar y de qué color
- dónde vais a poner las cosas

- *Podemos pintar el salón de color gris.*
- *¿De gris? Yo prefiero el blanco.*

blanco, azul oscuro, rosa, azul claro, negro, verde, marrón, morado, naranja, amarillo, rojo, gris

1. Casas con estilo

a Las fotos muestran dos estilos tradicionales de vivienda de dos lugares del mundo hispano. ¿Dónde crees que se pueden encontrar estas casas?

b ¿Qué palabras asocias con las fotos?

sencillo
calor
brillante
natural
campo
mar
luz
tranquilidad

41

c Escucha a dos personas hablar de sus casas. ¿Qué fotos relacionas con cada una?

Fotos ....

Fotos ....

2. De Ibiza a México

a Lee las siguientes informaciones sobre los dos estilos decorativos anteriores. ¿Qué párrafos corresponden a cada uno? Coméntalo con tu compañero y, entre los dos, pensad un título adecuado para el texto completo de cada estilo.

1 El color predominante es el amarillo (alegre y acogedor). Este color se combina con azul brillante, naranja o turquesa. También son característicos los tonos tierra como el cactus verde, adobes rojos y tonos neutros de desierto. El color es el elemento principal de la decoración.	**2** El origen de este tipo de construcción es muy antiguo y seguramente está relacionado con las construcciones de Mesopotamia y Egipto. Aunque el arco, elemento característico de la vivienda ibicenca, se incorpora más tarde.
3 El gusto por la decoración rica se muestra también en el abundante uso de los tejidos rústicos de fibras naturales de colores para cubrir mesas, suelos e incluso las paredes.	**4** La singular estética de la arquitectura rural de Ibiza ha cautivado desde siempre a los visitantes de esta maravillosa isla del Mediterráneo.
5 En el estilo mexicano encontramos una interesante mezcla de la serenidad de la arquitectura colonial (los ranchos, los monasterios) y la riqueza de colores de las fiestas y tradiciones del país.	**6** Es un estilo sin lujos, sencillo y libre. Espacios amplios con elementos de formas suaves y el color blanco como protagonista son las señales inconfundibles de la arquitectura y decoración tradicional de esta isla balear.
7 No es solo una expresión decorativa o arquitectónica, es casi un estilo de vida... Blanco, suavidad, luz..., todo transmite tranquilidad.	**8** Son característicos de este estilo los muebles de maderas pesadas, claras u oscuras, con detalles de hierro forjado negro. La influencia mexicana de este material también se puede ver en las puertas y otros accesorios.

Texto 1: Estilo de Ibiza
Párrafos: ....
....
Título: ....
....

Texto 2: Estilo de México
Párrafos: ....
....
Título: ....
....

b ¿Hay estilos tradicionales en tu país? ¿Cómo son?

Línea directa

1. Adjetivos de colores

Singular: -o / -a Plural: -os / -as		Singular: -e Plural: -es		Singular: -a Plural: -as		Sing.: consonante (-n, -s, -l) Plural: -es	
amarillo amarilla	amarillos amarillas	verde	verdes	naranja	naranjas	marrón	marrones
negro negra	negros negras					gris	grises
rojo roja	rojos rojas					azul	azules

Los adjetivos que no indican colores siguen las mismas reglas:
pequeño ⇨ pequeña, pequeños, pequeñas   grande ⇨ grandes   útil ⇨ útiles

2. Eso

Eso	Ese / Esa / Esos / Esas
¿Qué es eso? ¿Son los muebles nuevos?	¿Eso es la puerta del baño?
¿Eso es la puerta del baño?	¿Esa puerta es la del baño?
	Ese es el armario de la cocina
	Esos son los libros de María
	Esas sillas son para el comedor

Una o más cosas que no podemos identificar.

Una o más cosas que podemos identificar.

3. Ofrecer una cosa

■ ¿Quieres un caramelo?
● Sí, gracias.

■ ¿Un cigarrillo?
● No, gracias, no fumo.

Para decir que no, hay que explicar por qué.

4. Permiso y prohibición

■ ¿Se puede fumar aquí?
● No, no se puede.
● No, está prohibido.

■ ¿Se puede venir con amigos a la piscina?
● Sí, (no hay problema).
● Sí, pero hay que avisar al portero.

Sí, pero + obligación
indica una condición necesaria para tener permiso.

5. Presente de indicativo: verbos con formas irregulares

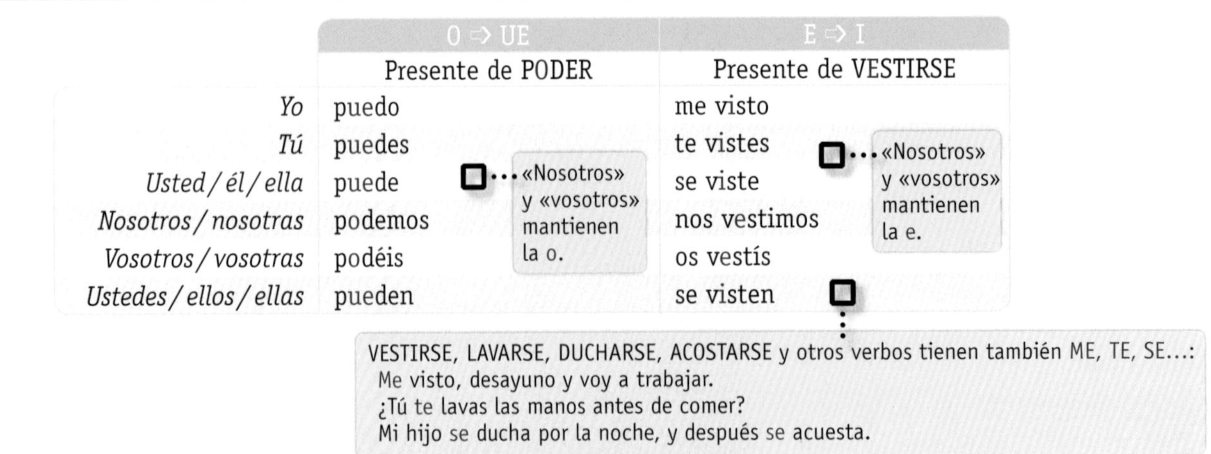

	O ⇨ UE Presente de PODER	E ⇨ I Presente de VESTIRSE
Yo	puedo	me visto
Tú	puedes	te vistes
Usted / él / ella	puede	se viste
Nosotros / nosotras	podemos	nos vestimos
Vosotros / vosotras	podéis	os vestís
Ustedes / ellos / ellas	pueden	se visten

«Nosotros» y «vosotros» mantienen la o.

«Nosotros» y «vosotros» mantienen la e.

VESTIRSE, LAVARSE, DUCHARSE, ACOSTARSE y otros verbos tienen también ME, TE, SE...:
Me visto, desayuno y voy a trabajar.
¿Tú te lavas las manos antes de comer?
Mi hijo se ducha por la noche, y después se acuesta.

6. El orden de las cosas

■ Primero me levanto, después me ducho y al final lavo los platos.
● Pues yo, primero desayuno, después lavo los platos y al final me ducho.

9 ¿Estudias o trabajas?

En esta unidad vamos a aprender a:

- Describir una ocupación: lugar, horario, tareas generales…
- Pedir y dar información sobre requisitos para hacer bien un trabajo
- Expresar opiniones sobre trabajos o estudios
- Informar sobre conocimientos y habilidades profesionales

1. Profesiones

a ¿Qué profesiones son estas? ¿Te gustan? ¿Por qué?

- *A mí me gusta mucho estudiar y aprender.*
- *A mí no me gusta estudiar. Prefiero trabajar y ganar dinero.*

1. *Estudiante*
2. ....
3. ....
4. ....
5. ....
6. ....

Abogado/-a
Administrativo/-a
Arquitecto/-a
Cocinero/-a
Taxista

b ¿Te gustaría cambiar de profesión? ¿Qué te gustaría ser?

- *A mí me gustaría ser médico. Me gusta ayudar a la gente.*
- *Pues yo no quiero cambiar. Soy ingeniero y me gusta mucho mi trabajo.*

2. ¿Dónde trabajan?

42

a Vas a oír a cinco personas que hablan de su trabajo. Relaciona los nombres con el lugar donde trabajan. ¡Atención! Una de las personas trabaja en dos lugares diferentes.

1. Ana → c
2. Pedro
3. Julián
4. Susana
5. Andrés

a. En casa
b. En la redacción de una revista.
c. En un hospital
d. En un instituto de Bachillerato
e. En un restaurante
f. En una oficina

b Escucha otra vez. ¿A qué se dedican? ¿Qué piensan de su trabajo?

	Profesión	+	-
1. Ana	*enfermera*	*trabajo duro*	*muy bonito*
2. Pedro			
3. Julián			
4. Susana			
5. Andrés			

PARA VALORAR UN TRABAJO
Bonito - Feo, desagradable
Bueno - Malo
Fácil - Difícil, duro
Interesante - Aburrido
Tranquilo - Estresante

c ¿Y tú? ¿Dónde trabajas? ¿Qué piensas de tu trabajo? Habla con tus compañeros.

- *Yo trabajo en el departamento de marketing de una gran empresa. Es muy interesante, pero trabajo muchas horas.*

3. ¿Qué hacen en su trabajo?

43 **a** Vas a oír a las personas del ejercicio anterior hablando de su trabajo. Antes de escuchar, piensa un momento: ¿cuáles de estas cosas crees que hace cada uno?

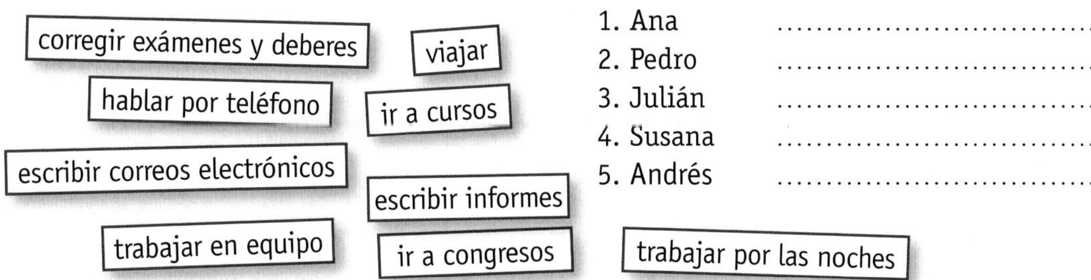

1. Ana ....
2. Pedro ....
3. Julián ....
4. Susana ....
5. Andrés ....

43 **b** Ahora escucha otra vez la grabación y comprueba tus respuestas.

c ¿Y tú? ¿Haces estas cosas? ¿Qué otras cosas haces? Habla con tus compañeros.

- *En mi profesión es muy importante trabajar en equipo.*
- *Yo trabajo solo, pero hablo mucho por teléfono con mi jefe y mis compañeros.*

4. Tarjetas de visita

Lee estas tarjetas y completa el cuadro con las abreviaturas.

Dra. Luisa Salvador Pons
MEDICINA GENERAL
Consultas: L, Mi y V, 9.30 – 11.30
M y J, 8.30 – 10.00
Reserva de hora: 91 521 35 46

MINISTERIO DE ECONOMÍA Y HACIENDA
D. Pedro Pérez García
DPTO. CRÉDITOS
Admón. Central, Tel. 91 583 74 00
P.º Castellana, 162 -1.ª planta 28004 Madrid

LA REGIÓN - REVISTA DE ACTUALIDAD
Andrés Abellán Gómez
REDACTOR
C/ Mayor, nº 54 - 2.ª planta
abellan@region.es
28001 Madrid
91 764 45 12

FARMACIA DE LA CRUZ
Ldo. Juan Baldomá Navarro
Avda. Miguel de Unamuno, n.º 2
28001 Alcalá de Henares
Tel. 91 756 43 22

NÚMEROS ORDINALES	
Primero/-a	1.º / 1.ª
Segundo/-a	2.º / 2.ª
Tercero/-a	3.º / 3.ª
Cuarto/-a	4.º / 4.ª
Quinto/-a	5.º / 5.ª
Sexto/-a	6.º / 6.ª
Séptimo/-a	7.º / 7.ª
Octavo/-a	8.º / 8.ª
Noveno/-a	9.º / 9.ª
Décimo/-a	10.º / 10.ª

Palabra(s)	Abreviatura(s)	Significado
Calle	c/	*Son nombres de vías y lugares en ciudades y pueblos*
Avenida	....	
Paseo	....	
Número	....	*Es el número de la calle*
Departamento	....	*Son nombres de secciones de empresas, oficinas*
Administración	....	
Teléfono	....	
Don (femenino: doña) ①	....	*Es una manera formal de tratar a una persona*
Doctora (masc.: doctor)	.................................②	*Son títulos universitarios*
Licenciado (fem.: licenciada)	....	

① Don + nombre
Señor + apellido
Don + nombre y apellido

② La abreviatura de «doña» es *Dña.*
La abreviatura de «doctor» es *Dr.*
La abreviatura de «licenciada» es *Lda.*

Familia o trabajo

a Rocío hace una entrevista que comentan en la oficina.

1. ¿Y tú qué opinas?

a ¿De qué personaje de Agencia ELE son estas opiniones?

PERSONAJE	OPINIÓN
....	Hacer un trabajo interesante es más importante que tener un buen horario.
....	Es más importante tener un buen horario que ganar mucho dinero.
....	El trabajo de oficina es aburrido, pero cómodo.

b Lee de nuevo el cómic y completa los cuadros con las expresiones que faltan.

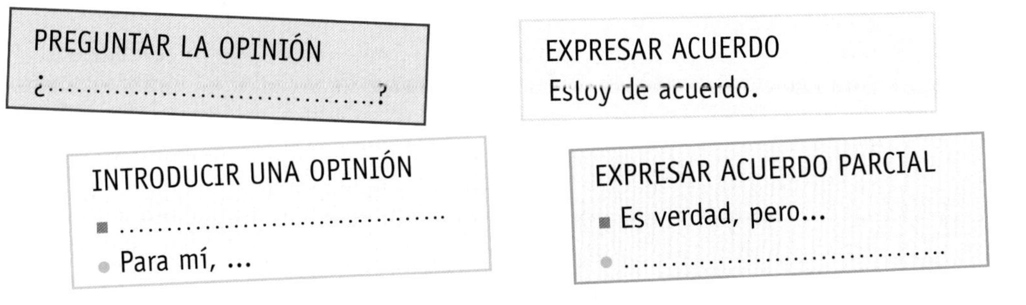

PREGUNTAR LA OPINIÓN
¿.................................?

EXPRESAR ACUERDO
Estoy de acuerdo.

INTRODUCIR UNA OPINIÓN
■ ....
● Para mí, ...

EXPRESAR ACUERDO PARCIAL
■ Es verdad, pero...
● ....

c ¿Y tú? ¿Con quién estás de acuerdo? ¿Con Sergio, con Paloma o con Rocío?

■ *Para mí es muy importante el horario. Estoy de acuerdo con Sergio.*
● *Pues yo estoy de acuerdo con Rocío.*

2. ¿Estás de acuerdo?

a Lee y observa.

b En grupos, leed las siguientes frases y decid si estáis de acuerdo o no.

«Las grandes empresas son las únicas instituciones no democráticas de la sociedad actual.» (Ejecutivo en paro)

«Un aumento de sueldo es como un Martini: sube el ánimo, pero sólo por un rato.» (Dan Seligman)

«El trabajo es como la esclavitud, pero solo 8 horas al día.» (Un jubilado)

«El trabajo endulza la vida; pero a mucha gente no le gustan los dulces.» (Víctor Hugo)

■ *Yo estoy de acuerdo con la frase de Víctor Hugo.*
● *Yo también.*
▲ *Yo no.*
◆ *Pues yo sí.*

3. El curso de Rocío

45

a Rocío busca un curso de árabe. Escucha a Rocío y completa las fichas de los cursos.

Resultados de búsquedas

A	B	C	D
Centro Escuela Oficial de Idiomas. **Curso** Primero de árabe. **Duración** De octubre a .... **Frecuencia** Diario. **Horario** De 9h a 10h / De 20h-21h. **Precio** Matrícula .... €.	**Centro** Pandilinguas. **Curso** Árabe .... **Duración** .... horas. **Frecuencia** Diario. **Horario** De 19h a 21 h. **Precio** Matrícula .... €.	**Centro** Idiomnet. **Curso** Árabe a tu ritmo – curso on-line. **Duración** Seis meses a partir de la matrícula. **Tutor** Una hora semanal de atención tutorial. **Precio** Matrícula .... €.	**Centro** Academia Al-Andalus. **Curso** Aprende árabe en .... **Duración** 15 días. **Frecuencia** 6 horas diarias de clase. **Precio** .... €.

b Observa las estructuras para expresar comparaciones y escribe un ejemplo para cada uno con los datos de los cursos.

X es más + ADJETIVO + que Y
X es menos + ADJETIVO + que Y

X VERBO más que Y
X VERBO menos que Y

....
....
....
....

c ¿Sabes qué tipo de curso ofrece cada escuela? ¿Qué opinas de estos cursos de idiomas? ¿Cuál prefieres tú? Coméntalo con tus compañeros.

☐ Curso anual ☐ Curso intensivo
☐ Curso a distancia ☐ Inmersión

4. Un nuevo trabajo para Iñaki

a Lee las siguientes frases y completa con la información el currículum vítae de Iñaki.

CURRÍCULUM VÍTAE

FORMACIÓN
- 2000..................................
- 1995 *Máster en Edición digital*...

EXPERIENCIA PROFESIONAL
- 2002 - 2008 ....
- 1998 - 1999 ....
- 1996 - 1998 ....

IDIOMAS
- Nivel Intermedio (B1) de ....
....
- Nivel Avanzado (C1) de ....
....

INFORMÁTICA
- Usuario avanzado de los programas ....
....
- Usuario básico de los programas ....
....

VARIOS
- ....
- ....

Observa los diferentes verbos que utilizamos:
- **Tener** experiencia como profesor.
- **Ser** licenciado.
- **Conocer** los programas de traducción.

b Iñaki consulta las ofertas de trabajo. Lee los siguientes anuncios de trabajo. Después completa el resumen y contesta a las preguntas.

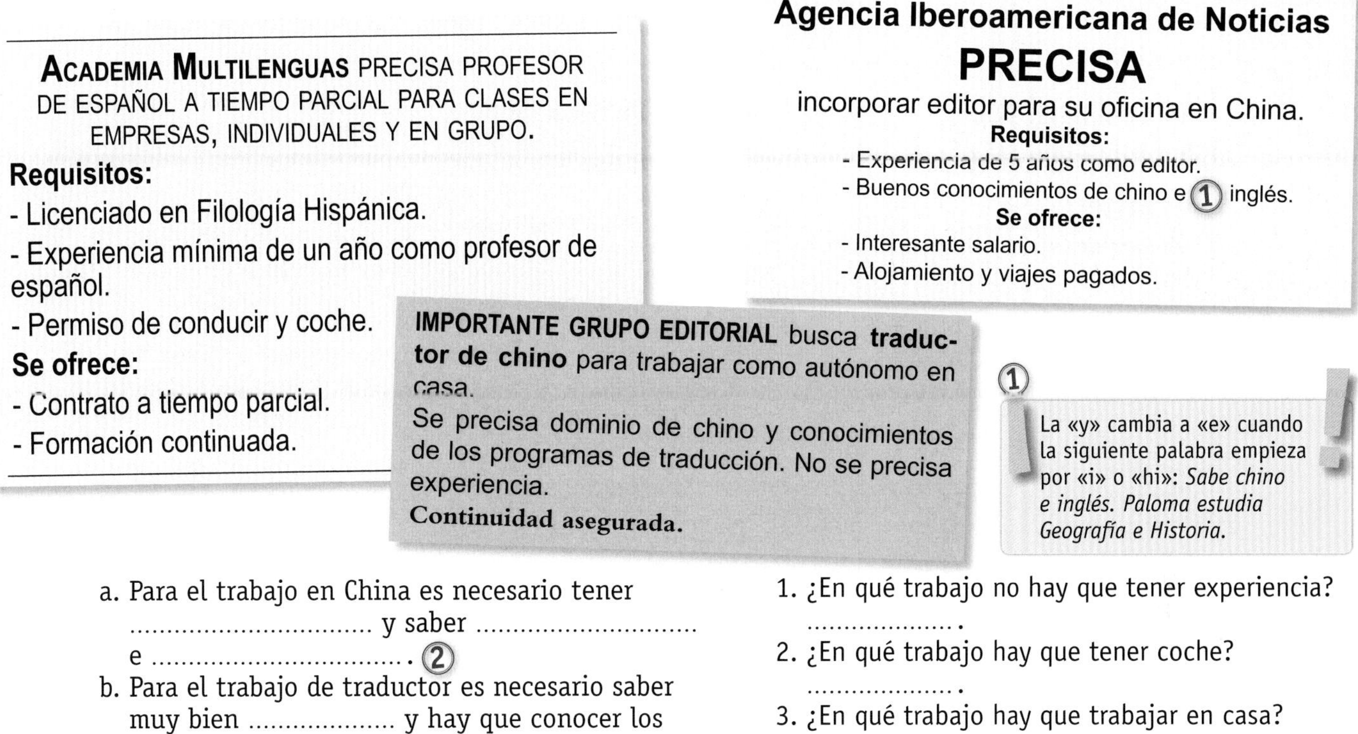

ACADEMIA MULTILENGUAS PRECISA PROFESOR DE ESPAÑOL A TIEMPO PARCIAL PARA CLASES EN EMPRESAS, INDIVIDUALES Y EN GRUPO.

Requisitos:
- Licenciado en Filología Hispánica.
- Experiencia mínima de un año como profesor de español.
- Permiso de conducir y coche.

Se ofrece:
- Contrato a tiempo parcial.
- Formación continuada.

Agencia Iberoamericana de Noticias
PRECISA
incorporar editor para su oficina en China.

Requisitos:
- Experiencia de 5 años como editor.
- Buenos conocimientos de chino e ① inglés.

Se ofrece:
- Interesante salario.
- Alojamiento y viajes pagados.

IMPORTANTE GRUPO EDITORIAL busca **traductor de chino** para trabajar como autónomo en casa.
Se precisa dominio de chino y conocimientos de los programas de traducción. No se precisa experiencia.
Continuidad asegurada.

① La «y» cambia a «e» cuando la siguiente palabra empieza por «i» o «hi»: *Sabe chino e inglés. Paloma estudia Geografía e Historia.*

a. Para el trabajo en China es necesario tener .... y saber .... e .... ②
b. Para el trabajo de traductor es necesario saber muy bien .... y hay que conocer los programas ....
c. Para el trabajo de profesor de español es necesario ser .... en Filología Hispánica y tener ....

1. ¿En qué trabajo no hay que tener experiencia? ....
2. ¿En qué trabajo hay que tener coche? ....
3. ¿En qué trabajo hay que trabajar en casa? ....

② Hay que = es necesario.
No hay que = no es necesario.

c ¿Cuál crees tú que es el trabajo más adecuado para Iñaki? Coméntalo con tus compañeros.

- *Yo creo que el trabajo más adecuado para Iñaki es el de traductor, porque puede trabajar en casa y tener más tiempo libre.*
- *Sí, estoy de acuerdo, pero yo creo que el trabajo de corresponsal es más interesante y él tiene mucha experiencia.*

5. Profesión oculta

a ¿Cuál es la profesión de estas personas?

b Ahora tú. Piensa en una profesión y escribe tres frases para describirla. En grupos, cada uno tiene que leer sus frases y los demás tienen que adivinar la profesión.

- *En esta profesión hay que ser muy valiente y fuerte.*
- *No sé, ¿torero?*
- *No, no. Leo la siguiente frase, ¿vale?*
- *Sí, vale.*
- *Hay que saber primeros auxilios.*
- *Pues... ¿policía?*
- *No. Bueno, la tercera: hay que conocer el fuego y sus peligros.*
- *¡Claro! ¡Bombero!*

En esta profesión...
Hay que ser muy valiente y fuerte.
Hay que saber primeros auxilios.
Hay que conocer el fuego y sus peligros.

1. Horarios de trabajo

a En este texto se hacen comparaciones entre los horarios de trabajo en España y en Europa. Léelo y fíjate en las cosas que son parecidas y en las que son diferentes.

Las costumbres laborales españolas, a examen

¿Trabajar para vivir o vivir para trabajar?

De lunes a viernes, de nueve a nueve, con dos horas para comer que se suman a las que tardamos en llegar a casa. Para muchos, la vida empieza el fin de semana, el resto es trabajo, horarios imposibles y obligaciones.

Compromisos parecidos tienen nuestros vecinos europeos, que trabajan igual, pero en menos tiempo. En España somos los últimos en salir de la oficina, pero no somos los más productivos.

Esta costumbre empieza a cambiar. Una encuesta realizada en Europa y en EE UU muestra que el 70% de los españoles quieren sobre todo un trabajo que les deje tiempo para su vida personal y un salario de 20 866 euros al año, como mínimo. Un poco menos de la cantidad que quieren ganar los austriacos, daneses, alemanes o franceses.

LOS NÚMEROS HABLAN

- Los españoles trabajamos 42 minutos más a la semana que el resto de los europeos.
- Dormimos 40 minutos menos cada día que nuestros vecinos.
- España es el quinto país de la Unión Europea con menos productividad por empleado.
- Es el primer país en accidentes laborales y de tráfico.
- Sólo el 9% de los españoles tiene un horario flexible.
- Únicamente el 10% de las empresas españolas aplica iniciativas para flexibilizar la jornada.
- Tres de cada cuatro trabajadores quisieran flexibilizar la jornada.

¿En qué se parece un inglés a un español?

En sus costumbres de trabajo se parecen muy poco. El empleado británico termina su trabajo a las cinco de la tarde, cuando en España llegamos de comer y empezamos el turno de la tarde, hasta las siete o las ocho. Es verdad que el británico se levanta más temprano, porque empieza a trabajar a las ocho (no a las nueve como en España).

Las horas de la tarde, el británico las dedica a sus aficiones, a estar con los hijos, hablar con la pareja o pasar más tiempo en casa. En España, estas cosas las reservamos para el fin de semana.

El tiempo medio de viaje entre el domicilio y el trabajo está entre 45 minutos y una hora y cuarto. Si salimos a las siete o a las ocho de la tarde, llegamos a casa pasadas las nueve. Queda tiempo para poco más que cenar y acostarse.

Adaptado de *El País Semanal*.

b Después de leer el texto, completa las frases con MÁS o con MENOS.

1. Los españoles trabajan .... tiempo que los otros europeos.
2. Los españoles son .... productivos que la mayoría de los trabajadores europeos.
3. Los españoles quieren tener jornadas de trabajo .... flexibles.
4. Los españoles duermen .... horas que los demás europeos.
5. En España hay .... accidentes de tráfico que en los demás países europeos.
6. Los británicos empiezan a trabajar .... temprano que los españoles.
7. Durante la semana, los españoles tienen .... tiempo libre que los británicos.

c ¿En qué partes del texto está la información de las frases anteriores? Subráyalas. ①

① Subrayar un texto es una buena forma de seleccionar información importante para poder recordarla después.

d Completa esta ficha con información del texto.

HORARIOS DE TRABAJO EN ESPAÑA

Comienzan a trabajar: *A las 9.00*
La pausa para comer dura: ....
Vuelven a trabajar por la tarde: ....
Salen de trabajar: ....
Llegan a casa: ....

e Compara tus horarios con los de los españoles. ¿En qué se parecen y en qué no?

- *Yo empiezo a trabajar más temprano que los españoles, pero trabajo menos horas.*
- *Yo trabajo en casa, y no tengo horarios fijos.*

Semana 8. 2nd term.

en la oficina que sus [illegible]
concreto, 38,2 horas a la semana frente a las 36,3 del resto de trabajadores europeos. Obviamente, esto no es bueno para la vida familiar. De hecho, el 79% de los españoles se queja de que tiene poco tiempo para dedicar a la familia. Y es que, además, los españoles tienen de media solo 22,8 días de vacaciones al año, mientras que la media europea es de 25,1 días. Por supuesto, los niños sufren las consecuencias de estos horarios. De media, los niños españoles llegan al colegio una hora antes que sus vecinos europeos y salen dos horas más tarde que en muchos países.

Resulta paradójico comprobar que a pesar del espectacular crecimiento económico de los últimos años, las condiciones laborales en España son todavía mejorables. Aunque las cosas están cambiando rápidamente, en España en general las empresas todavía no dan muchas facilidades para compaginar la vida laboral y la vida familiar. Alrededor de un 60% de las empresas no ofrecen, por ejemplo, jornadas a tiempo parcial, ni la posibilidad de alargar el periodo por baja maternal. Estos datos contrastan con los de países como Finlandia o Reino Unido, que sí ofrecen normalmente estas opciones a sus empleados. Otro dato curioso es que, para la mayoría de españoles, el trabajo forma parte de la vida privada. De hecho, según un estudio reciente, el 84% de los trabajadores españoles afirma tener uno o más compañeros de trabajo que, además, son amigos.

B. ¿Cómo es la vida laboral en tu país? ¿Y en otros países que conoces? ¿Es muy diferente de la vida laboral de los españoles? Coméntalo con tus compañeros.

2. La situación laboral en España

46 **a** Vas a oír un programa de radio sobre el empleo en España. Hay cuatro entrevistas diferentes. Escucha y relaciona los nombres con las informaciones. Antes de escuchar, lee las frases y pregunta al profesor las palabras que no entiendas.

1. Pedro
2. Rubén
3. Ana
4. María

.... Es asistente social.
.... Es chófer en una empresa.
.... Es licenciada en Historia.
.... Es licenciado en Humanidades.
.... Gana menos de mil euros al mes.
.... Gana un poco más de mil euros al mes.
.... Tiene 26 años.
.... Tiene 30 años.
.... Tiene 30 años.
.... Tiene problemas para conciliar trabajo y vida familiar.
.... Tiene un máster en Gestión Cultural.
.... Tiene una hija de cuatro meses.
.... Trabaja como cajera en un centro comercial.
.... Trabaja como informático en una empresa.

47 **b** Escucha ahora la continuación del programa. Una experta habla de la situación laboral en España, los principales problemas y los grupos sociales con más dificultades.

1. Antes de escuchar, piensa: ¿de qué grupos sociales crees que van a hablar? Elige:

- ☐ Jóvenes universitarios
- ☐ Inmigrantes
- ☐ Personas sin estudios
- ☐ Mujeres
- ☐ Hombres menores de 40 años
- ☐ Personas con estudios
- ☐ Mayores de 50 años
- ☐ Informáticos
- ☐ Jubilados

2. Escucha y comprueba tus respuestas.

3. ¿De qué problemas se habla?

- ☐ Paro
- ☐ Contratos temporales
- ☐ Sueldos más bajos
- ☐ Pocas posibilidades de promoción
- ☐ Poca oferta de trabajo

c Habla con tus compañeros. ¿Conoces personas con problemas como los de Pedro, Rubén, Ana o María? ¿Hay otros grupos sociales con situaciones laborales difíciles en tu país?

- *En mi país, los universitarios tenemos problemas para encontrar un buen trabajo. Yo, por ejemplo, soy Licenciado en Derecho, pero trabajo como auxiliar administrativo en una empresa. Me gustaría encontrar un trabajo mejor...*
- *En mi país, pocas personas van a la universidad. Muchos jóvenes empiezan a trabajar a los dieciséis años.*

Línea directa

1. Números ordinales

Masculino		Femenino		Masculino		Femenino	
1.º	Primero ①	1.ª	Primera	6.º	Sexto	6.ª	Sexta
2.º	Segundo	2.ª	Segunda	7.º	Séptimo	7.ª	Séptima
3.º	Tercero	3.ª	Tercera	8.º	Octavo	8.ª	Octava
4.º	Cuarto	4.ª	Cuarta	9.º	Noveno	9.ª	Novena
5.º	Quinto	5.ª	Quinta	10.º	Décimo	10.ª	Décima

① !
Primer piso
Tercer curso
Cuando va antes del nombre masculino:
Primero >> Primer;
Tercero >> Tercer

2. Preguntar la opinión sobre... el trabajo

¿Qué opinas de tu trabajo? ➡
¿Crees que es interesante? ➡

Opinar + de (un tema)
Creer + que (una idea)

3. Introducir una opinión

Para mí, es muy importante el horario ➡
Creo que es un trabajo muy duro ➡

Para mí, + OPINIÓN
Creer que + OPINIÓN

4. Mostrar acuerdo / desacuerdo con una opinión

OPINIÓN	■ Creo que el trabajo de oficina es cómodo pero aburrido	
ACUERDO	● Estoy de acuerdo	➡ (No) Estar de acuerdo
DESACUERDO	● No estoy de acuerdo	
ACUERDO PARCIAL	● <u>Es verdad</u>, pero puede ser interesante	
	● <u>Estoy de acuerdo</u>, pero puede ser interesante	

5. También / tampoco: expresar coincidencia

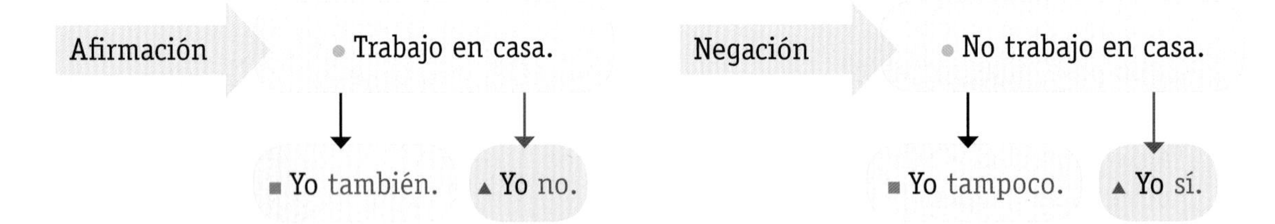

6. Comparar

El curso regular es más <u>barato</u> que el intensivo.
El horario es más <u>importante</u> que el sueldo.

X es más <u>ADJETIVO</u> + que Y

El curso de la Escuela Oficial <u>dura</u> más que el de la academia.
El curso en internet <u>cuesta</u> más que el de la Escuela Oficial.

X <u>VERBO</u> más que Y

7. Hay que / no hay que: expresar necesidad

En mi trabajo hay que hablar mucho y también hay que ir a muchas reuniones, pero no hay que trabajar los fines de semana.

⟶ (no) hay que + INFINITIVO

10 De compras

En esta unidad vamos a aprender:

- A pedir información y comprar en tiendas y supermercados
- A hablar de pesos, medidas, cantidades y envases
- A comparar productos y precios
- Los nombres de las prendas de vestir
- El nombre y el valor de la moneda de algunos países del mundo
- Algunas fórmulas sociales para fiestas y celebraciones

1. De tiendas

a Mira estas fotos. ¿Dónde crees que están esos lugares: en una ciudad o en un pueblo? ¿En el centro o en las afueras? Habla con tu compañero.

1 Un supermercado

2 Un mercado cubierto

3 Un mercado al aire libre

4 Un centro comercial

5 Una tienda pequeña

- *La foto número 4 es de una ciudad, ¿no?*
- *Me parece que sí. ¿Tú crees que está en el centro o en las afueras?*

b ¿Tú compras normalmente en estos tipos de tiendas? ¿Cuál prefieres? ¿Por qué?

- *Yo prefiero las tiendas pequeñas. Me gusta hablar con el vendedor.*

c Mira las imágenes de abajo. ¿Dónde se venden estos productos? Habla con tu compañero.

- *Los sellos y el tabaco, en el estanco, ¿no?*
- *Creo que sí.*

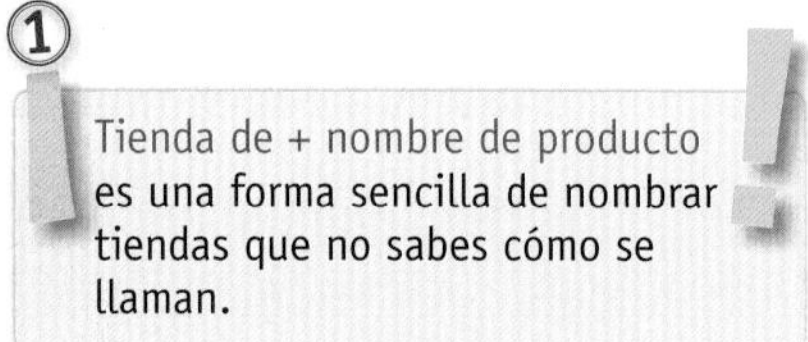

① Tienda de + nombre de producto es una forma sencilla de nombrar tiendas que no sabes cómo se llaman.

El estanco	El mercado
El quiosco	El supermercado
La panadería	El hipermercado
La zapatería	El centro comercial
La tienda de	deportes
	música
	muebles ①
	ropa
	bolsos

Sellos y tabaco

Sillas, mesas...

Jerseys, pantalones, chaquetas...

Periódicos y revistas

Artículos deportivos

Bolsos

Pan, bollos...

Verdura, fruta, leche...

Zapatos

CD, DVD...

2. Envases y cantidades

¿Cómo se venden estos productos? Mira las imágenes y completa los cuadros.

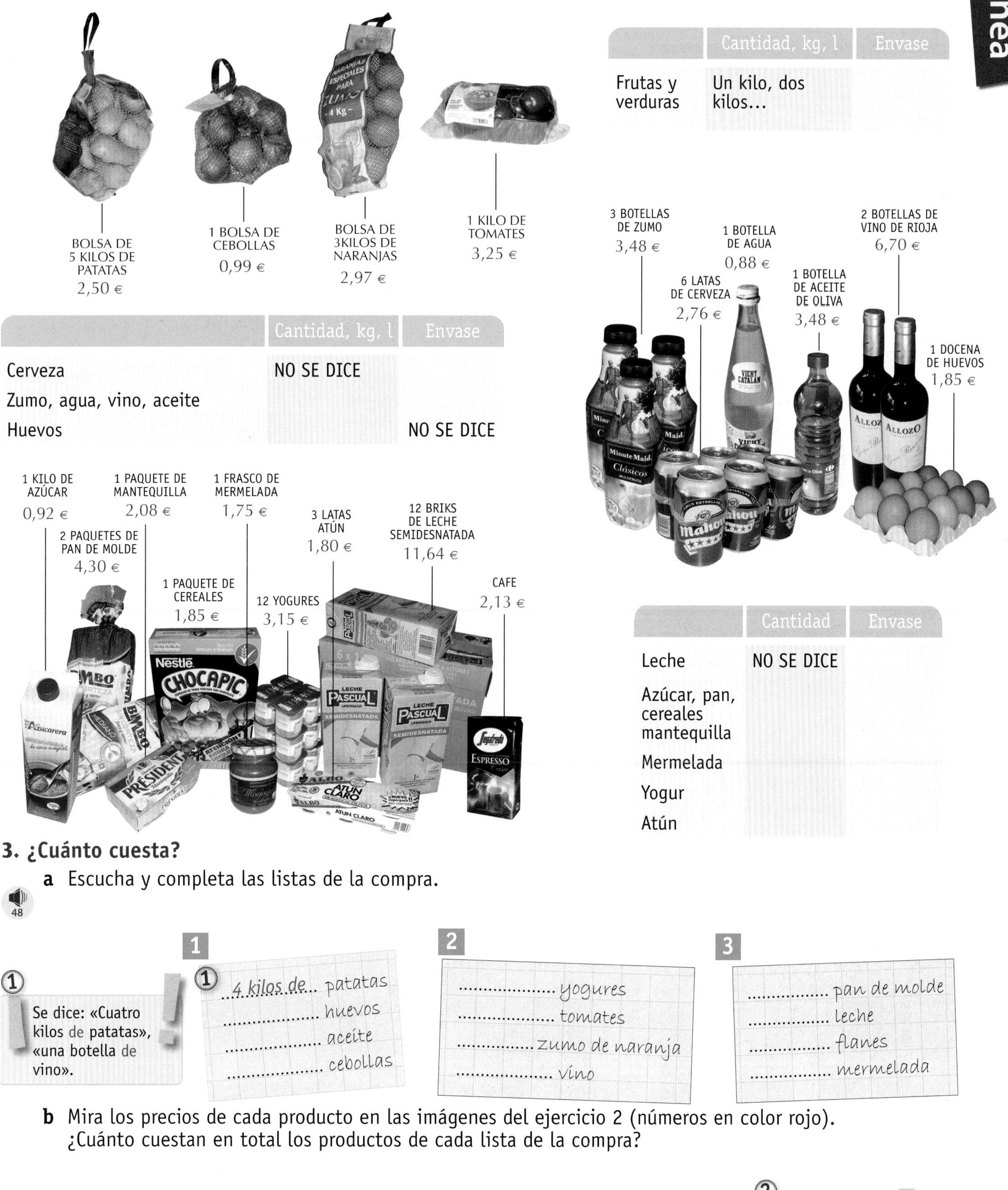

	Cantidad, kg, l	Envase
Frutas y verduras	Un kilo, dos kilos...	

	Cantidad, kg, l	Envase
Cerveza	NO SE DICE	
Zumo, agua, vino, aceite		
Huevos		NO SE DICE

	Cantidad	Envase
Leche	NO SE DICE	
Azúcar, pan, cereales mantequilla		
Mermelada		
Yogur		
Atún		

3. ¿Cuánto cuesta?

a Escucha y completa las listas de la compra.

48

① Se dice: «Cuatro kilos de patatas», «una botella de vino».

1

① 4 kilos de... patatas
.... huevos
.... aceite
.... cebollas

2

.... yogures
.... tomates
.... zumo de naranja
.... vino

3

.... pan de molde
.... leche
.... flanes
.... mermelada

b Mira los precios de cada producto en las imágenes del ejercicio 2 (números en color rojo). ¿Cuánto cuestan en total los productos de cada lista de la compra?

■ *Un kilo de patatas cuesta dos euros con cincuenta. Cuatro kilos, diez euros.*

②

② 2,50 € se dice: «Dos euros con cincuenta».

Fiesta de Navidad en la Agencia ELE

49 **a** El día de Navidad está cerca, y en la Agencia ELE hay una pequeña fiesta. Escucha y lee.

b ¿Qué cartel corresponde a la fiesta de la Agencia ELE?

1 El 22 a mediodía, vamos a comer todos juntos en la oficina, para celebrar las navidades.
¡¡Felices fiestas a todos!!

2 El 22 por la noche, vamos a cenar al restaurante «La oficina», para celebrar la Navidad con todos los compañeros.
¡¡Estáis todos invitados!!

3 El 22 por la tarde, estáis invitados a tomar algo con los compañeros, en el vestíbulo de la Agencia.
¡¡Feliz Navidad!!

1. Fórmulas sociales

50 Escucha y escribe tu respuesta a lo que dicen estas personas.

1. ....
2. ....
3. ....
4. ....

- ¡Salud!
- ¡Salud!

- ¡Feliz Navidad! / ¡Feliz Año Nuevo!
- Gracias, igualmente.

- ¡Feliz cumpleaños!
- ¡Gracias!

2. Señalar objetos

a Mira las imágenes y completa las frases con *estos, esos* o *aquellos*.

.... platos son muy resistentes.

.... platos son más grandes.

Me llevo .... platos y .... vasos.

b Completa el cuadro.

	ESTE girasol	ESE girasol	AQUEL girasol
UN SOLO OBJETO	- ESTE paquete cuesta cuatro euros. - ESTA botella cuesta dos euros con cincuenta.	- ESE paquete cuesta cuatro euros. - .... botella cuesta dos euros con cincuenta.	- AQUEL paquete cuesta cuatro euros. - AQUELLA botella cuesta dos euros con cincuenta.
MÁS DE UN OBJETO	- .... paquetes cuestan cuatro euros. - ESTAS botellas cuestan dos euros con cincuenta.	- .... paquetes cuestan cuatro euros. - ESAS botellas cuestan dos euros con cincuenta.	- .... paquetes cuestan cuatro euros. - AQUELLAS botellas cuestan dos euros con cincuenta.

¡ También para situar en el tiempo: este año, esta semana, etc. !

3. Y / pero

a Relaciona.

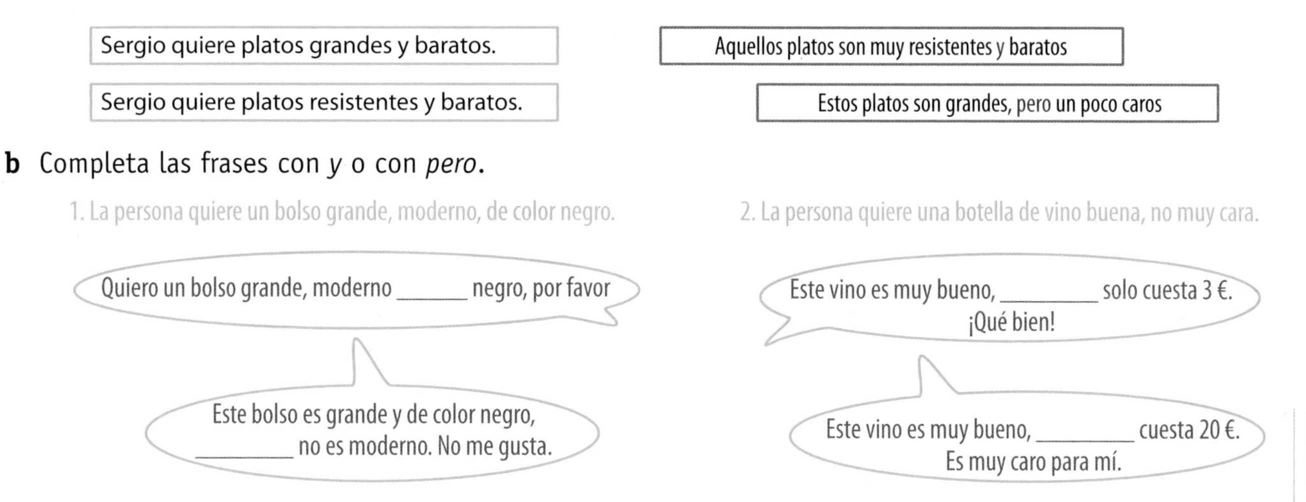

b Completa las frases con *y* o con *pero*.

4. Un poco / muy / más

a Mira las imágenes, y después completa las frases con *un poco* o con *muy*.

Estos platos son muy resistentes, pero son un poco pequeños.

Estos platos son muy pequeños.

¡Un poco solamente se utiliza para valorar negativamente: ~~Un poco~~ resistentes!

+ Muy + adjetivo
- Un poco + adjetivo

1.

Esta camisa no me interesa. Es .... cara.

2.

Es un vino bueno, pero es .... caro.

3.

Este vino es .... bueno, y no es caro.

51 **b** Escucha a estas personas. ¿Qué frase corresponde a lo que dice cada uno?

- *El personaje compara los precios de ahora con los precios del año pasado.* Número: _______
- *El personaje explica por qué no le gusta la Navidad.* Número: _________
- *El personaje explica por qué no quiere comprar unos platos.* Número: _________
- *El personaje compara dos tipos de platos diferentes.* Número: _________

c Completa la regla con *muy* o con *más*.

- Para comparar cosas, se utiliza ....
- Para hablar de una cantidad sin comparar, se utiliza ....

d Una tienda de ropa está de rebajas. Tu compañero y tú tenéis 200 euros entre los dos. Queréis comprar una cosa para cada uno y otra cosa para regalar a un amigo. Comparad los precios y elegid lo que vais a comprar.

La camisa cuesta	X euros más / menos que antes X euros más / menos que el jersey

- *El vestido es un poco caro, ¿no?*
- *¿Tú crees? Cuesta catorce euros menos que antes... Y es muy bonito...*

52 **e** Escucha estas conversaciones. ¿Qué prenda de las de arriba va a comprar el cliente?

1. .... 2. .... 3. .... 4. ....

5. En la tienda

a Sergio quiere comprar una botella de cava catalán. Mira los diálogos de la Agencia ELE y completa la conversación con el dependiente de la tienda de vinos.

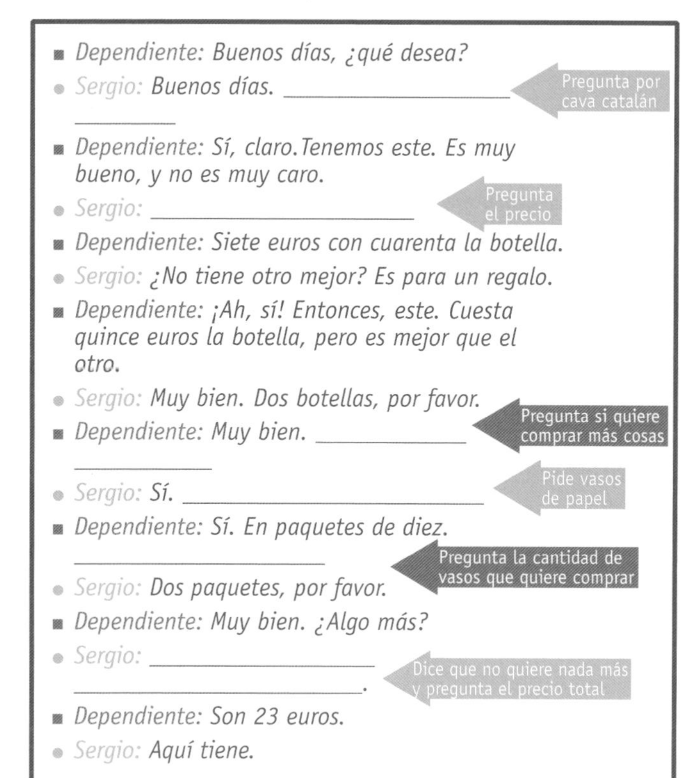

■ *Dependiente: Buenos días, ¿qué desea?*
● *Sergio: Buenos días. ______________ ______* ← Pregunta por cava catalán
■ *Dependiente: Sí, claro. Tenemos este. Es muy bueno, y no es muy caro.*
● *Sergio: ______________* ← Pregunta el precio
■ *Dependiente: Siete euros con cuarenta la botella.*
● *Sergio: ¿No tiene otro mejor? Es para un regalo.*
■ *Dependiente: ¡Ah, sí! Entonces, este. Cuesta quince euros la botella, pero es mejor que el otro.*
● *Sergio: Muy bien. Dos botellas, por favor.*
■ *Dependiente: Muy bien. ______________ ______* ← Pregunta si quiere comprar más cosas
● *Sergio: Sí. ______________* ← Pide vasos de papel
■ *Dependiente: Sí. En paquetes de diez. ______________* ← Pregunta la cantidad de vasos que quiere comprar
● *Sergio: Dos paquetes, por favor.*
■ *Dependiente: Muy bien. ¿Algo más?*
● *Sergio: ______________ ______________.* ← Dice que no quiere nada más y pregunta el precio total
■ *Dependiente: Son 23 euros.*
● *Sergio: Aquí tiene.*

b Completa el cuadro con las frases de la conversación anterior.

DEPENDIENTE	
Para preguntar qué quiere comprar el cliente	*¿Qué desea?*
Para preguntar si quiere comprar otras cosas	

CLIENTE	
Para preguntar si en la tienda tienen un producto	
Para preguntar el precio de un producto	
Para pedir un producto	
Para decir que no quiere nada más	
Para preguntar el precio total	

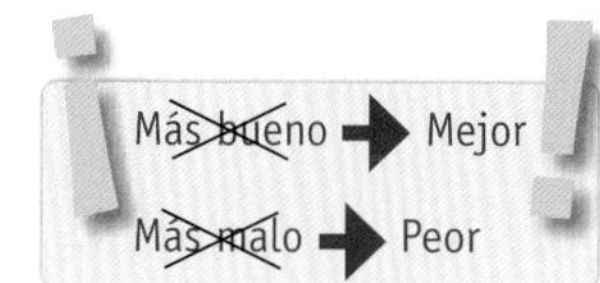

c Completa las frases con *cuánto, cuánta, cuántos, cuántas*.

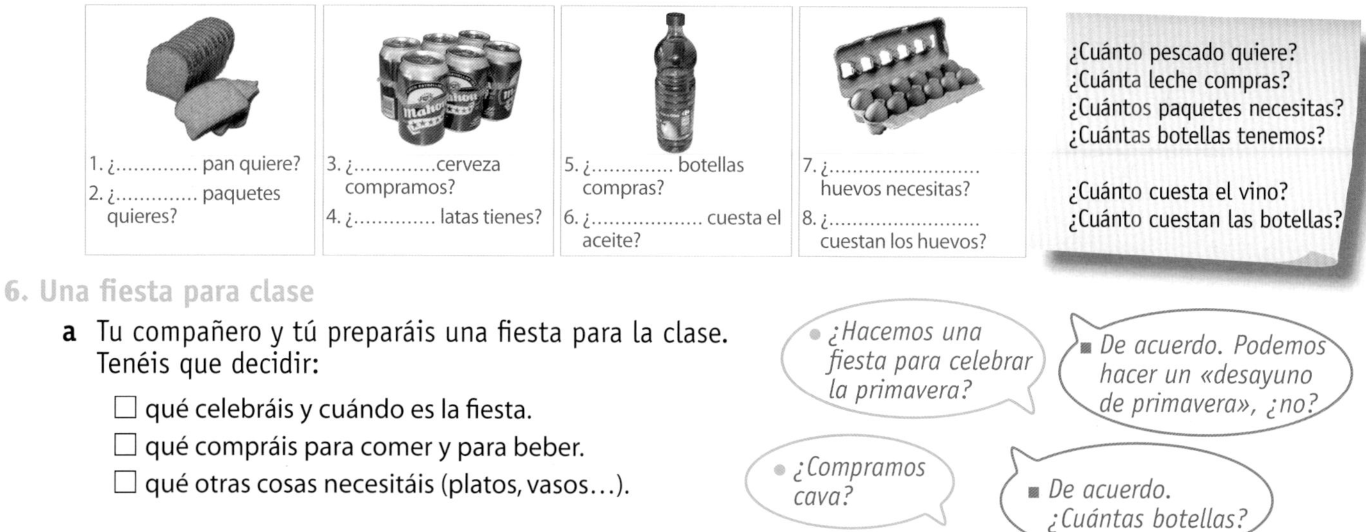

1. ¿............. pan quiere?
2. ¿............. paquetes quieres?
3. ¿.............cerveza compramos?
4. ¿............. latas tienes?
5. ¿............. botellas compras?
6. ¿.................. cuesta el aceite?
7. ¿.......................... huevos necesitas?
8. ¿.......................... cuestan los huevos?

¿Cuánto pescado quiere?
¿Cuánta leche compras?
¿Cuántos paquetes necesitas?
¿Cuántas botellas tenemos?

¿Cuánto cuesta el vino?
¿Cuánto cuestan las botellas?

6. Una fiesta para clase

a Tu compañero y tú preparáis una fiesta para la clase. Tenéis que decidir:

- ☐ qué celebráis y cuándo es la fiesta.
- ☐ qué compráis para comer y para beber.
- ☐ qué otras cosas necesitáis (platos, vasos...).

● *¿Hacemos una fiesta para celebrar la primavera?*
■ *De acuerdo. Podemos hacer un «desayuno de primavera», ¿no?*
● *¿Compramos cava?*
■ *De acuerdo. ¿Cuántas botellas?*

b Tu compañero y tú vais a la tienda para hacer la compra. Primero, practicad la conversación. Después vais a representarla para toda la clase.

● *Buenos días. ¿Qué desea?*
■ *Tres botellas de cava, por favor.*

c Para terminar, escribís un cartel para invitar a todos los compañeros a la fiesta. Podéis tomar como modelo los carteles de la Agencia ELE.

1. Compras de Navidad

a ¿Te acuerdas de este titular?

ESTE AÑO, COMPRAR EN NAVIDAD ES MÁS CARO

Los productos básicos suben el 43% en seis años

En tu país o ciudad, ¿hay momentos del año en que los productos son más caros? ¿Cuándo? Habla con tu compañero.

• *En mi país, todo es más barato en verano y más caro en septiembre.*

b En navidades, los españoles gastan mucho dinero en estas cosas. ¿En qué crees que gastan más? Habla con tu compañero y ordena los elementos de 1 (más dinero) a 4 (menos dinero):

☐ *actividades de ocio* ☐ *alimentación y bebidas*
☐ *comprar lotería* ☐ *juguetes para los niños*

53 **c** Vas a oír el comienzo de un programa de radio sobre las compras de los españoles en navidades. Escucha y comprueba el orden de los cuatro productos de b. Escribe también cuánto gastan los españoles en cada cosa.

• *En mi país, gastamos mucho dinero para la fiesta de Año Nuevo, el 31 de diciembre. Compramos muchos regalos.*

d En tu país, ¿hay ocasiones especiales en las que la gente gasta más dinero? ¿En qué gasta más?

2. Formas de pago

54 **a** En el mismo programa de radio, un experto habla de las ventajas e inconvenientes de pagar las compras en efectivo y con tarjeta. Escucha y escribe una ventaja y un inconveniente de cada forma de pago.

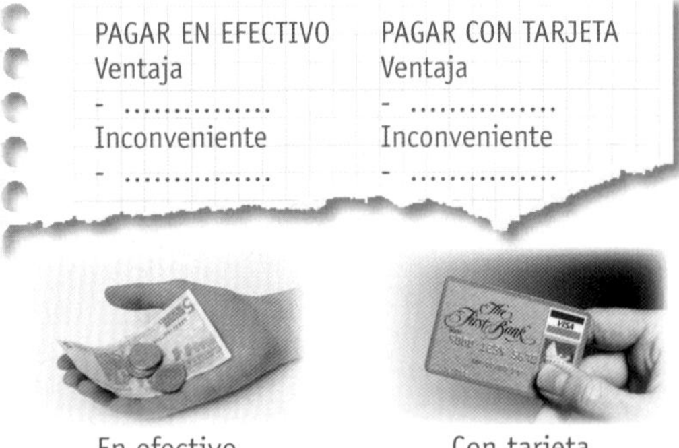

PAGAR EN EFECTIVO	PAGAR CON TARJETA
Ventaja	Ventaja
-	- ....
Inconveniente	Inconveniente
-	- ....

En efectivo — Con tarjeta

b ¿Qué diferencia hay entre una tarjeta de crédito y una tarjeta de débito? Relaciona las dos columnas. Si quieres, escucha otra vez el texto para contestar.

- Tarjeta de crédito
- *Pagas en el mismo momento de la compra*

- Tarjeta de débito
- *Pagas más tarde (el mes siguiente o los meses siguientes)*

c ¿Qué forma de pago aconseja el experto? ¿Cuál prefieres tú? ¿Por qué?

• *Yo prefiero la tarjeta de débito; es más cómodo que pagar en efectivo, y más barato que la tarjeta de crédito.*

55 **d** Escucha el final del programa. ¿Qué consejo dan sobre las tarjetas de crédito?

☐ *Escribir en un papel cuánto dinero gastamos con la tarjeta.*
☐ *Ir a comprar con otra persona para controlar mejor las compras.*
☐ *No utilizar la tarjeta de crédito para pagar en navidades.*

e ¿Te parece un buen consejo? ¿Por qué? Habla con tu compañero.

En línea con

3. Ofertas de un hipermercado

a ¿Te gusta comprar en hipermercados? ¿Por qué? Habla con tu compañero.

- *Yo compro siempre en hipermercados. Me gusta porque son muy baratos.*
- *A mí no me gustan los hipermercados. Me gusta hablar con los dependientes.*

b En su publicidad, un gran hipermercado explica a sus clientes algunas ventajas que ofrece. Mira los anuncios y relaciona cada anuncio con el título correspondiente.

A. Ofrecemos una tarjeta de crédito especial para pagar tus compras más tarde.
B. Tenemos un club de clientes con ventajas especiales.
C. Puedes comprar productos frescos al precio más barato.
D. Tenemos una marca especial de productos de calidad por muy poco dinero.

1

En Carrefour seleccionamos los productos más demandados por nuestros clientes y te los ofrecemos con el precio más bajo garantizado. Para conseguirlo, lo comparamos con los productos de nuestros competidores. Uno a uno. De esta forma nos aseguramos de que tú los compras al mejor precio y con la mejor calidad.

2

En Carrefour tienes más de 3 500 productos marca Carrefour con el precio más bajo garantizado y la máxima calidad.
Los encontrarás en alimentación, droguería-perfumería y hogar.
Fabricados directamente para Carrefour.
Sin intermediarios. Por eso son más barátos.

3

Acumula el 1% de cualquier poducto que compres en hipermercados Carrefour.
Busca los productos con este distintivo y acumula hasta un 30%.
Paga con Pass Visa y aumenta tu ahorro:
- Consigue un 20% extra de todo lo que hayas acumulado en hipermercados Carrefour.
- Y un 1% de todas tus compras fuera del hipermercado.

Cada 3 meses recibirás tu chequeahorro con todo el dinero que hayas acumulado.
Consigue cupones descuento en cada compra: utilízalos y haz que tus compras te salgan aún más baratas.

4

Porque las compras que hagas con ella a partir del día 21, no las pagas hasta el último día del mes siguiente y sin ningún tipo de coste.
Es como la tarjeta de tu banco, que puedes utilizar donde quieras:
- Pero gratuita: sin cuota anual ni gastos de mantenimiento.

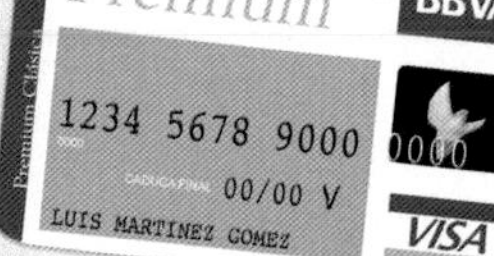

c ¿En qué anuncio se habla de estas cosas?

- ☐ Puedes utilizarla como una tarjeta de crédito normal, y no cuesta dinero.
- ☐ Comparamos los productos con otros hipermercados, para ver si son más baratos.
- ☐ Con tus compras recuperas una parte de tu dinero.
- ☐ Productos fabricados especialmente para nosotros.

d ¿Hay hipermercados como este en tu ciudad? ¿Y en otras ciudades que conoces? ¿Tienen el mismo tipo de ventajas para los clientes? Habla con tus compañeros.

Recuerda: es útil subrayar las frases que contienen la información para contestar las preguntas. No tienes que entender todo el texto para seleccionar la información.

e Trabaja con tu compañero y pensad en otra oferta para los clientes de un hipermercado. Comparad con las del resto de la clase.

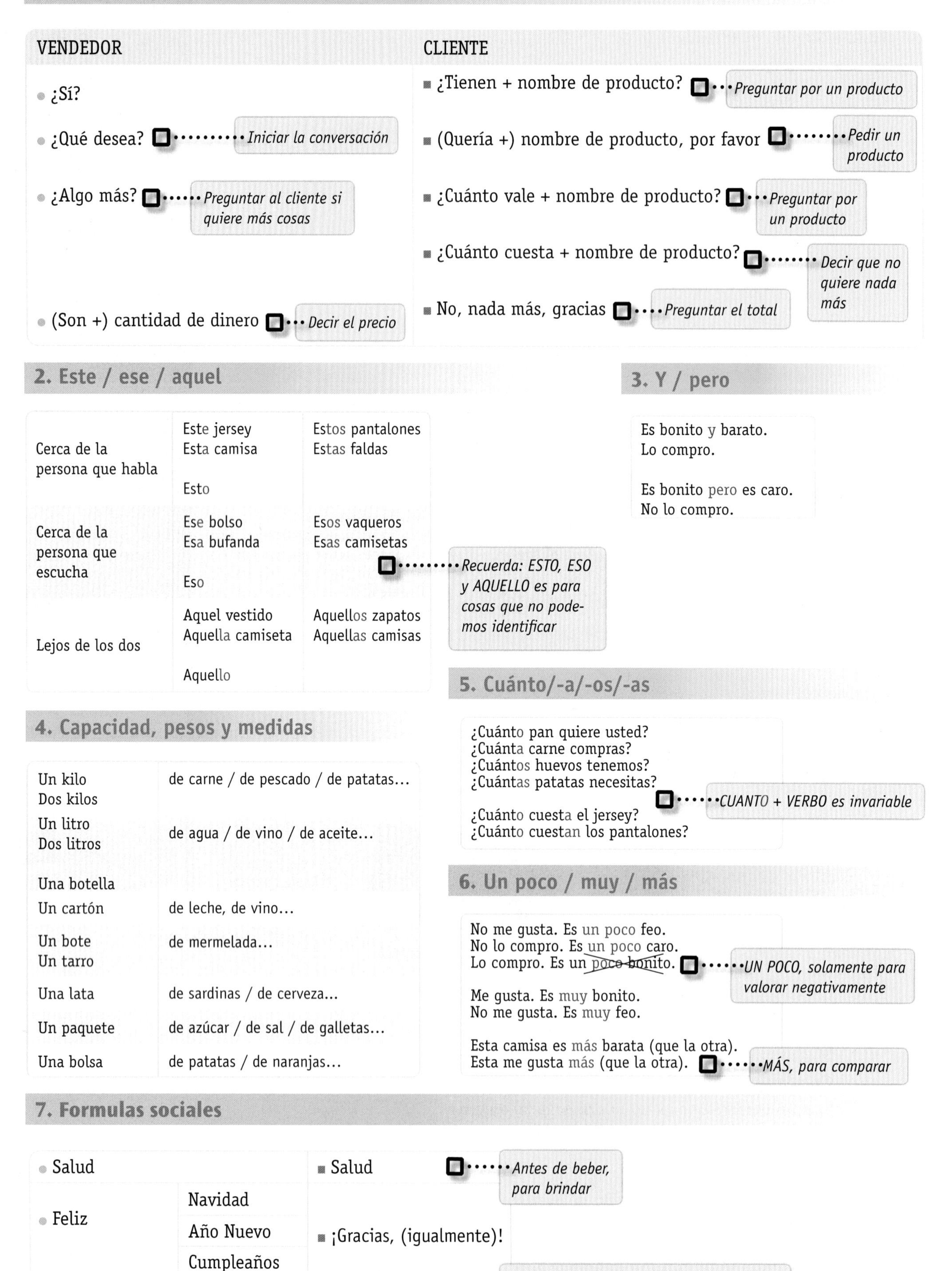

1. Comprar en una tienda

VENDEDOR		CLIENTE	
¿Sí?		¿Tienen + nombre de producto?	*Preguntar por un producto*
¿Qué desea?	*Iniciar la conversación*	(Quería +) nombre de producto, por favor	*Pedir un producto*
¿Algo más?	*Preguntar al cliente si quiere más cosas*	¿Cuánto vale + nombre de producto?	*Preguntar por un producto*
		¿Cuánto cuesta + nombre de producto?	*Decir que no quiere nada más*
(Son +) cantidad de dinero	*Decir el precio*	No, nada más, gracias	*Preguntar el total*

2. Este / ese / aquel

Cerca de la persona que habla	Este jersey Esta camisa Esto	Estos pantalones Estas faldas
Cerca de la persona que escucha	Ese bolso Esa bufanda Eso	Esos vaqueros Esas camisetas
Lejos de los dos	Aquel vestido Aquella camiseta Aquello	Aquellos zapatos Aquellas camisas

Recuerda: ESTO, ESO y AQUELLO es para cosas que no podemos identificar

3. Y / pero

Es bonito y barato.
Lo compro.

Es bonito pero es caro.
No lo compro.

4. Capacidad, pesos y medidas

Un kilo Dos kilos	de carne / de pescado / de patatas...
Un litro Dos litros	de agua / de vino / de aceite...
Una botella Un cartón	de leche, de vino...
Un bote Un tarro	de mermelada...
Una lata	de sardinas / de cerveza...
Un paquete	de azúcar / de sal / de galletas...
Una bolsa	de patatas / de naranjas...

5. Cuánto/-a/-os/-as

¿Cuánto pan quiere usted?
¿Cuánta carne compras?
¿Cuántos huevos tenemos?
¿Cuántas patatas necesitas?

¿Cuánto cuesta el jersey?
¿Cuánto cuestan los pantalones?

CUANTO + VERBO es invariable

6. Un poco / muy / más

No me gusta. Es un poco feo.
No lo compro. Es un poco caro.
Lo compro. Es un ~~poco bonito~~.

UN POCO, solamente para valorar negativamente

Me gusta. Es muy bonito.
No me gusta. Es muy feo.

Esta camisa es más barata (que la otra).
Esta me gusta más (que la otra).

MÁS, para comparar

7. Formulas sociales

Salud		Salud	*Antes de beber, para brindar*
Feliz	Navidad Año Nuevo Cumpleaños	¡Gracias, (igualmente)!	
Felices fiestas			*FELICES FIESTAS se refiere a todas las fiestas del periodo de las navidades*

11 Recuerdos

Boda

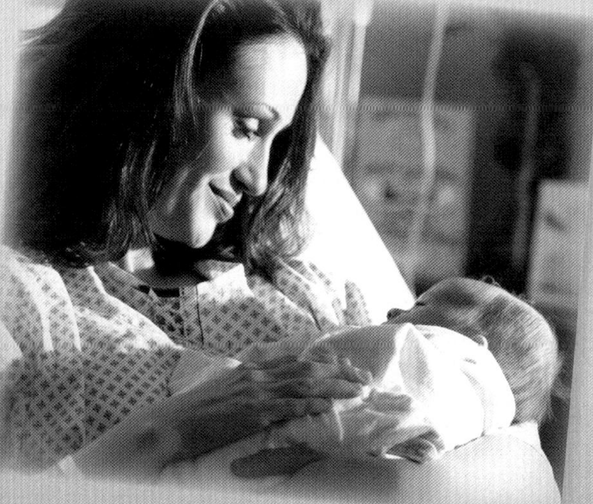

Nacimiento

Graduación

Cumpleaños

En esta unidad vamos a aprender a:

- Hablar de fechas y momentos importantes de nuestras vidas
- Preguntar por experiencias del pasado y contar viajes y otras actividades
- Formar el pretérito indefinido de los verbos regulares y de algunos verbos irregulares

1. ¡Cuántos recuerdos!

¿Te gusta recordar el pasado? Observa las imágenes y responde a las preguntas con tu compañero.

2. Fechas de nuestra vida

a Aquí tienes algunas fotos del álbum de Paloma Martín. Con tu compañero, relaciona las fotos con los rótulos.

Viaje de fin curso a Brasil
(diciembre de 1989)

Llegada a España
(julio de 1992)

Primer reportaje para Agencia ELE
(junio de 2008)

Primera cita con Juanjo
(Madrid, mayo de 1994)

Colegio Alemán
(Buenos Aires, 1981-1987)

Universidad
(Madrid, 1992-1997)

Mi primer día en el mundo
(14 de abril de 1971)

Mi casita
(Galicia, febrero de 2003)

b Señala si las siguentes afirmaciones son verdaderas o falsas. Después, comenta los resultados con tu compañero.

	V	F
Empieza a trabajar en Agencia ELE en 2009.		
En 2003 alquila una casa en Galicia.		
Paloma se va a vivir a España en 1994.		
Empieza a salir con Juanjo a los 19 años.		
El 14 de abril de 1975 nace Paloma.		
Termina los estudios universitarios en 1992.		
Desde 1981 hasta 1987 vive en Buenos Aires y va al Colegio Alemán.		
En diciembre de 1992 hace un viaje de fin de curso a Brasil.		

c Subraya las referencias temporales de las frases anteriores y completa el cuadro con ejemplos de las frases.

Fecha completa (día + mes + año):	*El 14 de abril de 1975*
Sólo el mes	
Sólo el año	
Periodo de tiempo	*Desde 1981...*
Edad	

d ¿Qué hechos son importantes en tu biografía? Márcalos y escribe la fecha o el momento. Compara con tu compañero.

- ☐ Nacer
- ☐ Ir a un colegio alemán / público...
- ☐ Irse a vivir a otro país / a...
- ☐ Irse a vivir solo / con un amigo / con...
- ☐ Llegar a esta ciudad
- ☐ Estudiar en la universidad
- ☐ Terminar los estudios
- ☐ Empezar a trabajar
- ☐ Casarse
- ☐ Separarse
- ☐ Comprar / alquilar una casa o un piso
- ☐ Tener un hijo
- ☐ Cambiar de casa / trabajo / ciudad

■ *En el año 2000, a los 34 años, tengo mi primer hijo y en mayo de 2001 compramos esta casa.*

Campeones

a Sergio y Rocío están preparando un reportaje sobre jóvenes campeones del deporte español. Comentan la información sobre el piloto Fernando Alonso y el tenista Rafa Nadal.

b ¿Qué foto envía Iñaki a Rocío?

1. ¿Qué hizo?

a ¿A qué deportista se refieren estas afirmaciones? Comenta con tu compañero.

Fernando Alonso

Rafa Nadal

1. Nació en 1981.
2. Ganó su primera competición oficial a los 8 años.
3. Llegó a la final de Wimbledon en 2007.
4. Fue el piloto más joven en ganar el campeonato mundial.
5. En el Gran Premio de Brasil tuvo el accidente más grave de su carrera.
6. En la final del Roland Garros de 2007 venció al n.º 1 del mundo.
7. A los 3 años empezó a pilotar *karts*.
8. A los 15 años fue el jugador más joven de la historia en ganar un partido en un torneo oficial.
9. En 2005 recibió el Premio Príncipe de Asturias de los Deportes.

b Lee otra vez en el cómic lo que cuenta Iñaki de su viaje a París. ¿Qué información da Iñaki a Rocío y a Sergio? Marca la afirmaciones verdaderas.

c ¿En qué momento sitúas los hechos de las frases anteriores?

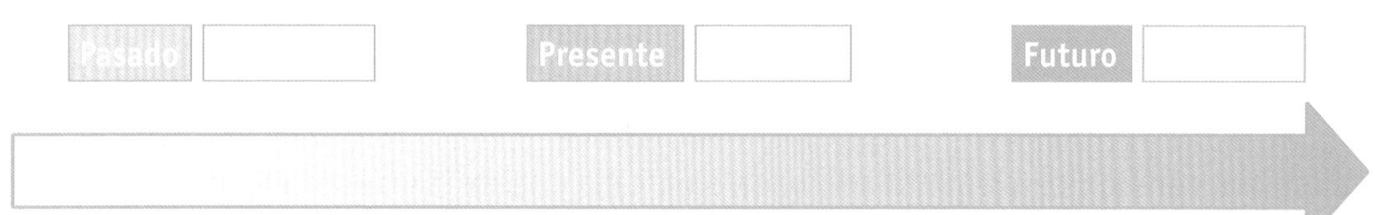

2. El pretérito indefinido

a Los verbos de las frases anteriores están en pasado (pretérito indefinido). Subraya las formas verbales y escríbelas al lado del infinitivo correspondiente.

VERBOS REGULARES			VERBOS IRREGULARES
Verbos en *-ar*	**Verbos en *-er***	**Verbos en *-ir***	
Empezar (él)	Vencer (él)	Recibir (él)	Ser (él) ....
Llegar (él)	Nacer (él)	Escribir (yo)	Tener (él) ....
Ganar (él)	Conocer (yo)		Ir (yo) ....
Hablar (yo)	Ver (yo)		Hacer (yo) ....
Jugar (yo)			Estar (yo) ....

57 **b** Escucha y comprueba. Escucha otra vez y señala la sílaba acentuada de cada verbo.

c Completa las formas del pretérito indefinido de los verbos regulares.

	VERBOS EN *–ar* empezar	VERBOS EN *–er* nacer	VERBOS EN *–ir* escribir
Yo	....	....	....
Tú	empezaste	naciste	escribiste
Usted/él/ella	....	....	....
Nosotros/nosotras	empezamos	nacimos	escribimos
Vosotros/vosotras	empezasteis	nacisteis	escribisteis
Ustedes/ellos/ellas	empezaron	nacieron	escribieron

¡Las terminaciones de los verbos en *–er* y en *–ir* son iguales!

d Copia en los cuadros las palabras y expresiones de aspecto físico que has subrayado.

	ser	ir	estar	hacer	tener
Yo	....	....	....	....	....
Tú	fuiste	fuiste	estuviste	hiciste	tuviste
Usted/él/ella	....	....	....	....	....
Nosotros/nosotras	fuimos	fuimos	estuvimos	hicimos	tuvimos
Vosotros/vosotras	fuisteis	fuisteis	estuvisteis	hicisteis	tuvisteis
Ustedes/ellos/ellas	fueron	fueron	estuvieron	hicieron	tuvieron

¡El pretérito indefinido de *ser* y de *ir* es igual!

3. Lo conocí en el 2000

a ¿A qué objeto o persona se refieren las palabras marcadas en rojo? Lee las dos últimas viñetas del cómic y descúbrelo.

1 ¿Sabéis que lo conozco?

2 ¡Ah! Lo viste jugar...

3 Sí, me hice alguna foto con él, pero no la tengo aquí. Luego te la envío por correo electrónico.

b Con tu compañero, relaciona las frases con el objeto o persona correspondiente.

1. **La** compré en 2003
2. **Lo** conocí en la facultad
3. **Los** terminé en 1989
4. **Las** hice en Costa Rica

Pronombres personales de objeto directo:

	SINGULAR	PLURAL
MASCULINO	LO	LOS
FEMENINO	LA	LAS

c Entre los dos pensad una pregunta adecuada para cada una de las frases anteriores.

4. Viajes inolvidables

a ¿Qué pregunta corresponde a cada tipo de información? Relaciona las dos columnas con tu compañero.

1. Fecha	a) ¿Cuándo fuiste?
2. Duración	b) ¿Con quién fuiste?
3. Alojamiento	c) ¿Cuántos días estuviste?
4. Actividades	d) ¿Cómo fuiste?
5. Itinerario	e) ¿Qué hiciste?
6. Transporte	f) ¿A dónde fuiste?
7. Compañía	g) ¿Dónde te alojaste?

b Piensa en tus experiencias de viajes y selecciona un viaje de cada una de estas características. Con dos compañeros, contesta sus preguntas sobre tus viajes.

El viaje más...
Largo
Interesante
Aburrido
Exótico
Divertido
Romántico
Caro

- *Mi viaje más interesante fue a México.*
- *¿Cuándo fuiste?*
- *Fui en 1999.*
- *¿Con quién fuiste?*
- *Con mi marido.*
- *¿Cuánto tiempo estuviste?*
- *Estuvimos dos semanas.*

5. ¿Naciste en 1969?

a Escribe seis datos de tu biografía en seis papeles distintos. Escribe el hecho y la fecha.

Nacer
Ir a un colegio alemán / público...
Irse a vivir a otro país / a...
Irse a vivir solo / con...
Llegar a esta ciudad
Estudiar en la universidad

Terminar los estudios
Empezar a trabajar
Casarse / separarse
Comprar / alquilar mi casa
Tener un hijo
Etc.

Nací el 24 de julio de 1969

✂ ....

✂ ....

✂ ....

b Tenéis que poner todos los papeles en una caja. Cada uno coge de la caja seis papeles (comprueba que no tienes datos de ti mismo). Muévete por la clase y pregunta a tus compañeros hasta descubrir a quién pertenece cada dato. Luego pregunta algo más para completar la información de cada papel. Al final cuenta a la clase lo que sabes de tus compañeros.

- ■ *¿Naciste en 1969?*
- ● *No, lo siento.*
- ■ *¡Ah! Vale.*

- ■ *¿Naciste en 1969?*
- ● *Sí.*
- ■ *¿Naciste el 1 de julio?*
- ● *Sí.*
- ■ *¿Y dónde naciste?*
- ● *En Londres.*

6. Una vida original

a Mira las imágenes. ¿Qué hechos de la vida pueden representar? Con un compañero, inventad la vida de la persona que guarda estos recuerdos. Para ello teneis que:

- Imaginar un hecho y una fecha para cada imagen.
- Poner los hechos y las imágenes en orden cronológico.
- Escribir los datos de la biografía de vuestra persona imaginaria.

b Luego cada pareja cuenta al resto de la clase la biografía de su personaje. ¿Son muy diferentes?

Algunos datos biográficos de ....

1. ....
2. ....
3. ....
4. ....
5. ....
6. ....
7. ....
8. ....

INVITACIÓN
El Excelentísimo Señor Embajador de España en México tiene el placer de invitarle a la recepción que tendrá lugar el día 7 de enero de 1999 con motivo de...

1. Juanes: cantante y algo más

a ¿Conoces al cantante colombiano Juanes? Completa los cuatro textos siguientes con la frase adecuada.

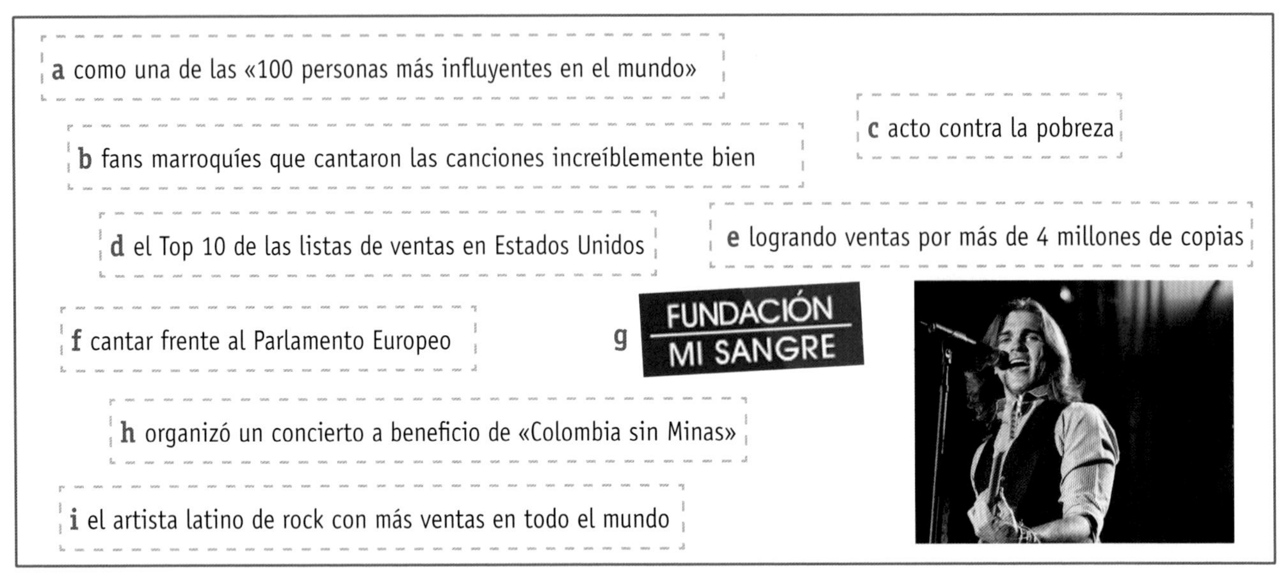

1 Declarado por el diario *Los Angeles Times* como «la figura más importante de la música latina en la última década», Juanes es ganador de 12 Grammys Latinos y nombrado por la revista *Time* (a) .... Juanes es actualmente (b) .... y el activista social más prominente del género. Su segundo álbum *Un Día Normal* logró establecer el récord como el disco con mayor tiempo en (c) .... Su tercer álbum, *Mi Sangre*, se mantuvo en las listas de popularidad por 2 años (d) ...., llevándolo al NÚMERO 1 en los *charts* de todo Latinoamérica, Estados Unidos y Europa. Su gira «Mi Sangre Tour» fue el tour mundial más extenso montado por un artista latino presentándose frente a millones de fans en 170 conciertos en arenas y estadios de 31 países y 4 continentes. Logró el debut más alto en las listas de popularidad para un artista latino en Japón. Juanes fue el primer artista en (e) .... donde obtuvo una donación de 2,5 millones de euros para las víctimas de las minas en Colombia. Con este mismo fin, también (f) .... con su Fundación Mi Sangre.

http://www.myspace.com/juanesmyspaceoficial

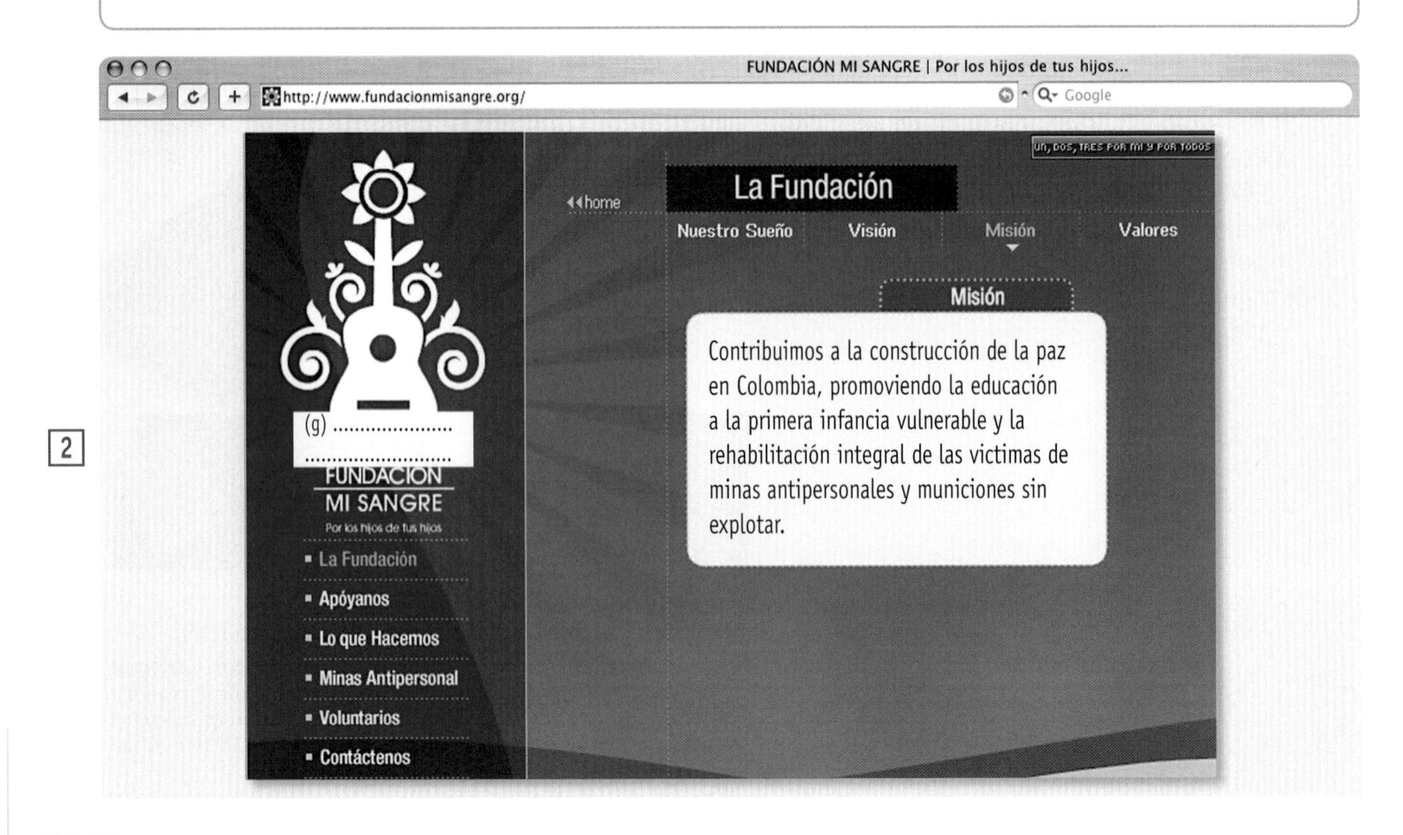

3

Noticia 29/05/2008
JUANES Y BONO PARTICIPAN EN JAPÓN EN UN (i) ....
....

http://www.juanesweb.com/

4

BLOG//

28 DE MAYO 2008

Hola a todos!!!!!
Quiero hacerles un pequeño resumen de lo que han sido estas últimas dos semana en la gira de «La Vida».
Por primera vez fuimos a tocar a un país africano donde hicimos parte de un gran festival que se celebró en la ciudad de Rabat, Marruecos. Compartimos escenario con muchísimos artistas de todas partes del mundo y con (h) .... No puedo explicarles la alegría tan grande que sentí al oírlos y verlos cantar en español!!!! (...)

http://www.juanes.net/

b Vuelve a leer el texto de *myspace.com* y piensa con tu compañero un título adecuado.

c ¿Conoces algún otro personaje famoso y activista como Juanes? Comenta con tus compañeros sus actividades.

2. Tienda de recuerdos

a Observa la foto: ¿qué tipo de recuerdos puedes comprar en esta tienda. Escribe una lista con tu compañero.

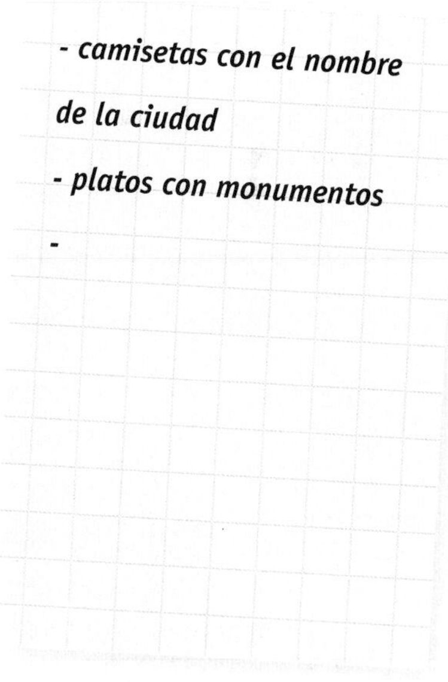

58 **b** Vas a escuchar a tres personas hablar sobre los recuerdos que les gusta comprar en sus viajes. Después, relaciona las personas con un tipo de comprador.

1 Marta	☐ El comprador práctico
2 Javier	☐ El coleccionista
3 Almudena	☐ El comprador por obligación

c ¿Qué tipo de comprador eres tú? ¿Te gusta comprar recuerdos cuando viajas? ¿A quién le compras regalos? ¿Te gusta recibirlos? Coméntalo con tus compañeros.

1. Fechas y referencias al pasado

Fecha completa (día + mes + año)	Paloma nació el 14 de abril de 1975.
Solo el mes	En diciembre hizo un viaje de fin de curso.
Solo el año	Alquiló una casa en Galicia en 2003.
Periodo de tiempo	Desde 1981 hasta 1987 vivió en Buenos Aires.
Edad	Empezó a trabajar a los 33 años.

2. El pretérito indefinido: verbos regulares

	GANAR	CONOCER	RECIBIR
Yo	gané	conocí	recibí
Tú	ganaste	conociste	recibiste
Usted / él / ella	ganó	conoció	recibió
Nosotros / nosotras	ganamos	conocimos	recibimos
Vosotros / vosotras	ganasteis	conocisteis	recibisteis
Ustedes / ellos / ellas	ganaron	conocieron	recibieron

La sílaba acentuada siempre está en la terminación.

Las terminaciones de los verbos en *-ER* y en *-IR* son iguales.

3. El pretérito indefinido: verbos irregulares (*ser, ir estar, hacer* y *tener*)

	SER	IR
Yo	fui	fui
Tú	fuiste	fuiste
Usted / él / ella	fue	fue
Nosotros / nosotras	fuimos	fuimos
Vosotros / vosotras	fuisteis	fuisteis
Ustedes / ellos / ellas	fueron	fueron

El pretérito indefinido de *IR* y *SER* es igual.

	ESTAR	HACER	TENER
Yo	estuve	hice	tuve
Tú	estuviste	hiciste	tuviste
Usted / él / ella	estuvo	hizo	tuvo
Nosotros / nosotras	estuvimos	hicimos	tuvimos
Vosotros / vosotras	estuvisteis	hicisteis	tuvisteis
Ustedes / ellos / ellas	estuvieron	hicieron	tuvieron

Son irregulares porque:
- Cambia la raíz (*ten-* > *tuv-*)
- Las terminaciones son distintas a las regulares.

La sílaba acentuada NO siempre está en la terminación.

4. Pronombres personales de objeto directo

	SINGULAR	PLURAL
MASCULINO	LO	LOS
FEMENINO	LA	LAS

12 Un poco de historia

En esta unidad vamos a aprender a:

- Hablar sobre acontecimientos históricos
- Situar y relacionar hechos pasados entre sí
- Formar el pretérito indefinido de algunos verbos irregulares
- Pedir y dar información sobre personajes y acontecimientos pasados

1. ¿Qué pasó?

a Estas fotos representan personajes y acontecimientos históricos importantes. ¿Puedes identificarlos?

- *¿Tú sabes quién es el personaje de la foto número 1?*
- *Ni idea, ¿y tú?*

1910

1945

1975

1994

1955

1946

b Relaciona los lugares y los acontecimientos con las fotos de arriba.

Foto 1	México	Final de la 2.ª Guerra Mundial
Foto 2	China	Final del *Apartheid* (sistema político racista)
Foto 3	España	Revolución armada
Foto 4	India	Llegada de Cristóbal Colón
Foto 5	Sudáfrica	Muerte de Francisco Franco
Foto 6	Todo el mundo	Revolución cultural

Para situar en el tiempo
de... a...
desde... hasta...
en...
hace...

2. ¿Cuándo fue?

a Todos estos acontecimientos ocurrieron en España o en Latinoamérica. ¿Sabes cuándo? ¿Y en qué países? Habla con tu compañero.

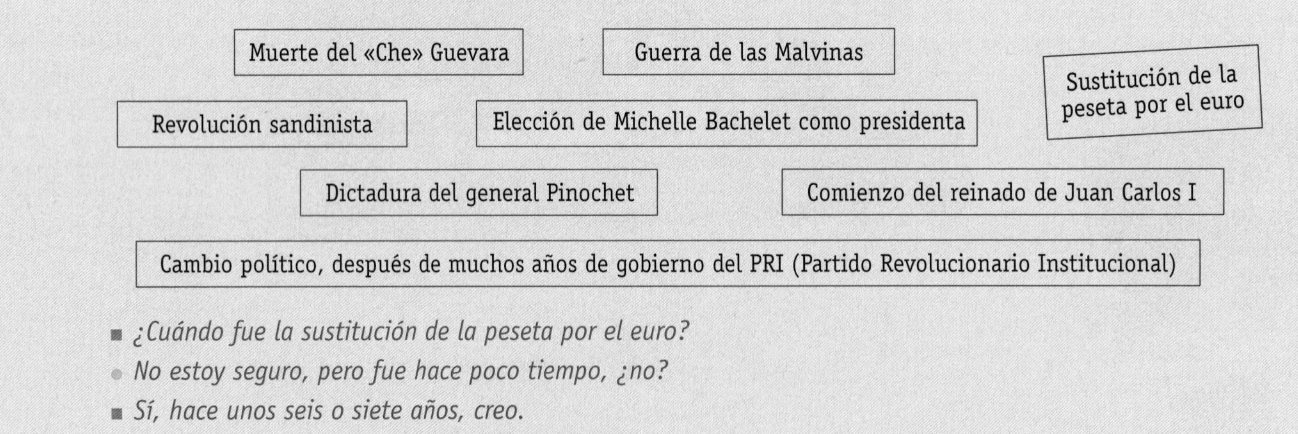

- *¿Cuándo fue la sustitución de la peseta por el euro?*
- *No estoy seguro, pero fue hace poco tiempo, ¿no?*
- *Sí, hace unos seis o siete años, creo.*

b Relaciona cada expresión con el sentido que le corresponde. Hay dos expresiones que tienen el mismo sentido.

- de 1973 a 1990 - desde 1973 hasta 1990 - hace seis años	- Indica el principio y el final de un acontecimiento - Indica cuánto tiempo ha pasado

3. La Transición española

a Lee este texto de una página web y completa el esquema de notas con las fechas correspondientes.

La Transición española es el periodo de transformación política en España, de la dictadura a la democracia. Muchas personas dicen que este periodo va de 1975 a 1978. Otras personas dicen que la Transición terminó en 1981.

El general Francisco Franco, jefe del Estado, murió el 20 de noviembre de 1975. El 23 de noviembre de 1975, el príncipe Juan Carlos de Borbón comienza a ser rey, con el nombre de Juan Carlos I.

En 1976, Juan Carlos I eligió como Presidente del Gobierno a Adolfo Suárez. Los partidos políticos se legalizaron en 1976. El gobierno de Adolfo Suárez, con el Parlamento, preparó la constitución democrática. Esta constitución se aprobó el 15 de diciembre de 1978, y es la misma que existe actualmente en España.

El 23 de febrero de 1981 hubo un intento de golpe de estado, pero no tuvo éxito. Este acontecimiento se conoce como 23-F.

Comienzo de la dictadura franquista: *1939*
Muerte de Franco y final de la dictadura: ....
Comienzo de la Transición: ....
Final de la Transición: ....
Comienzo del reinado de Juan Carlos I: ....
Legalización de los partidos políticos: ....

b Completa el cuadro con las palabras que faltan.

VERBO	Aprobar		Desaparecer	Elegir	Intentar		Llegar	Morir	Nacer
NOMBRE	Aprobación	Comienzo				Legalización		Muerte	

4. Test de conocimientos históricos

a Piensa en acontecimientos importantes de la Historia (de tu país y de otros países). Haz una lista de seis acontecimientos y fechas, como la de la actividad 3. a.

b Lee la lista de acontecimientos a tu compañero y pregúntale si sabe dónde y cúando ocurrieron.

- *¿Cuándo fue la caída del muro de Berlín?*
- *En 1989, ¿no?*
- *Sí, eso es.*

Inmigrantes de hoy, emigrantes de ayer

a Rocío y Paloma están preparando un reportaje sobre españoles que van a otros países y sobre extranjeros que vienen a España.

1. ¿Por qué elegiste Madrid?

a Fíjate en estas frases. ¿A qué verbo corresponden las palabras destacadas? Relaciónalas con los infinitivos, como en el ejemplo.

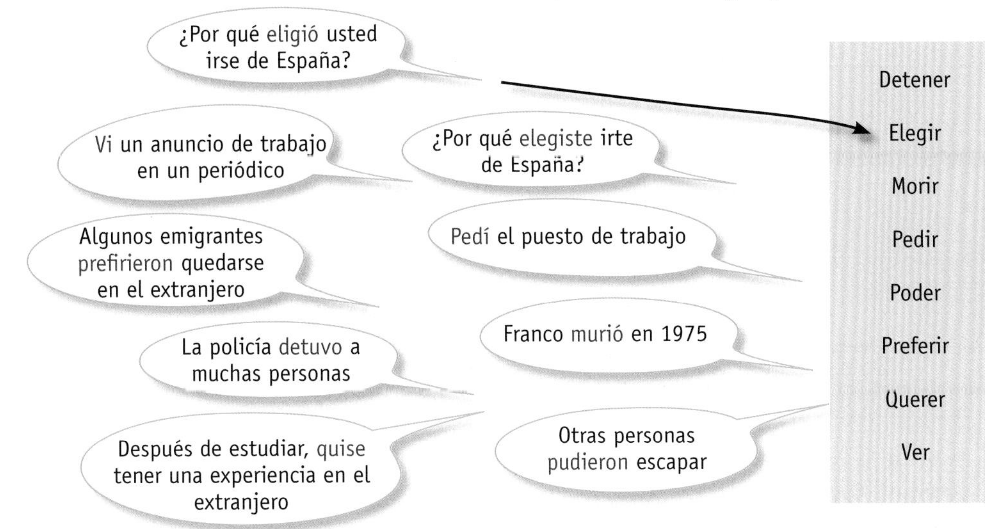

b Todos estos verbos tienen el pretérito indefinido irregular. Completa los cuadros con las formas que faltan

	① E CAMBIA EN I O CAMBIA EN U			TOTALMENTE IRREGULARES			COMPUESTOS DE OTROS IRREGULARES
ELEGIR	**PEDIR**	**PREFERIR**	**MORIR**	**PODER**	**QUERER**	**VER**	**DETENER** ②
Elegí	....	Preferí	Morí	Pude	Quise	Vi	Detuve
....	Pediste	Preferiste	....	Pudiste	....	Viste	....
Eligió	Pidió	....	....	Pudo	Quiso	Vio	....
Elegimos	Pedimos	....	Morimos	Pudimos	Quisimos	....	Detuvimos
Elegisteis	Pedisteis	Preferisteis	Moristeis	....	....	Visteis	....
Eligieron	....	....	Murieron	....	....	Vieron	Detuvieron

① Solamente cambian la tercera persona del singular y la del plural.

② «Detener» es un compuesto de «tener».

2 ¿Por qué eligió irse de España?

a Lee estos diálogos de la historieta y fíjate bien:

① 

②

Rocío: ¿Por qué elegiste irte de España?
Manolo: Decidí irme para ganar más dinero.

Rocío: ¿Por qué te fuiste a Irlanda?
Susana: Me fui para hacer el doctorado.

① Los pronombres *me, te, se,* etc., van detrás del infinitivo y forman una sola palabra.

② Los pronombres *me, te, se,* etc., van siempre delante del los verbos conjugados en presente, pasado o futuro.

b Aquí tienes otras posibles preguntas de Rocío. Ordena las palabras para formar las preguntas.

1. ¿Cuándo decidiste / te / ir / de tu país? ....
2. ¿Cuánto tiempo / usted / quedó / se / en Alemania? ....
3. ¿Por qué / usted / se / no quedar / eligió / en España? ....
4. ¿Dónde / fuiste / te / cuando terminaste la carrera? ....

3. Experiencias en el extranjero

60 **a** Escucha y completa estos relatos de Manolo, Susana y Véronique.

1. ¿Manolo volvió a España en 1975, ...
   ....
2. En Irlanda, Susana ....
   .... durante cuatro años.
3. Cuando ...., Véronique quiso tener una experiencia de trabajo en el extranjero, y buscó trabajo .... Al final lo encontró, y ahora es profesora de francés en Madrid.

b Relaciona las dos palabras de la izquierda con las explicaciones de la columna de la derecha.

CUANDO
DURANTE

- Se utiliza para indicar el momento en que ocurre una cosa.
- Se utiliza para indicar la duración de una acción o una situación.

c Aquí tienes más detalles sobre Aboubakar. Con tu compañero, preparad el relato de su historia.

Aboubakar N'DIAYE
1980. – Nacimiento en Dakar (Senegal).
1999 – 2004. Estudios de español en la Universidad de Dakar.
Diciembre 2003 – junio 2004. Clases particulares de español en Dakar.
Junio 2004 – junio 2005. Auxiliar administrativo en la Embajada de España en Dakar.
Junio 2005. Beca de la Agencia Española de Cooperación Internacional para estudios de postgrado en España.
Octubre 2005 – presente. Estudios de doctorado en la Universidad Complutense de Madrid.

• Aboubakar nació en Dakar en 1980...

d *¿Irse, venir* o *volver*? ¿Cómo cuentas la información? Habla con tu compañero.

• *John Wilson se fue a Ámsterdam en 1999, y en 2007 volvió a su país.*

John Wilson (nacido en Nueva York, EE UU)

1999. Empieza a trabajar en Ámsterdam (Holanda).
2007. Acepta un trabajo en Nueva York.

Malgorzata Kalinowska (nacida en Varsovia, Polonia)

2004. Termina sus estudios en Lodz (Polonia).
2005-2006. Trabaja en nuestra ciudad con una empresa multinacional.
2006-presente. Trabaja en Varsovia con la misma empresa.

Hassan Elsayed (nacido en Alejandría, Egipto)

2003-2004. Estudia en Alejandría.
2004. Estudia en El Cairo un curso de especialización.
2004-2007. Trabaja en Alejandría.
2007-presente. Trabaja en México, en la Universidad.

4. ¿Antes o después?

a Completa los textos como en los ejemplos.

61 **b** Escucha el relato de Rocío y ordena las cosas que hizo ayer.

5. El año en que nací yo

a ¿En qué día, mes y año naciste tú? ¿Sabes qué acontecimientos históricos importantes ocurrieron ese año? Si no lo sabes, puedes buscar información en internet. También puedes buscar fotos de esos acontecimientos y llevarlas a la clase.

b Selecciona tres o cuatro acontecimientos importantes del año en que naciste tú. Cuéntaselos a tus compañeros, y diles cuándo ocurrieron.

- *Yo nací el 26 de octubre de 1973. Un mes antes, en septiembre, fue el golpe de estado de Pinochet en Chile. Y tres meses después, en diciembre, hubo un atentado terrorista en España contra el presidente del Gobierno, Luis Carrero Blanco.*

1. Como en mi pueblo...

a ¿Conoces este refrán? ¿Entiendes qué significa?

«COMO EN MI PUEBLO, EN NINGÚN SITIO»

62 **b** Escucha la explicación de Ulrike, una ciudadana suiza que vive en España desde hace años. ¿Qué sentido tiene realmente el refrán? Selecciona el más adecuado.

c ¿Crees que la gente de tu país también piensa así? ¿Estás tú de acuerdo con esta frase?

2. Una suiza en España

63 **a** Vas a oír un fragmento de una entrevista de radio con Ulrike, la suiza de la actividad anterior. Escucha la primera parte de la entrevista y contesta.

- ¿Cuándo llegó Ulrike a Madrid?
- ¿Qué profesión tiene?
- ¿Qué dos acontecimientos históricos importantes vivió Ulrike directamente?
- Según Ulrike, ¿España es igual ahora que cuando ella llegó?
- ¿Qué proyectos tiene Ulrike para el futuro?

b En la continuación de la entrevista, Ulrike compara el carácter de los suizos y el de los españoles. Antes de oír la entrevista, habla con tu compañero. ¿Qué adjetivos te parecen adecuados para los españoles, y cuáles para los suizos?

fríos – abiertos – tímidos – modestos – tranquilos – aburridos

64 **c** Escucha la grabación y comprueba las respuestas.

d A partir de lo que dice Ulrike sobre los suizos, ¿qué opinión crees que tiene sobre los españoles? ¿Estás de acuerdo con ella?

3. Una japonesa en España

a Lee este texto, escrito por una periodista japonesa que vive en España, y busca información para contestar estas preguntas:

- Para ella, ¿todos los españoles tienen las mismas costumbres? ¿Por qué?
- ¿Qué cosas son comunes a todos los españoles?
- ¿Qué cosas sorprendieron a Masako cuando llegó a España?
- Para Masako, ¿qué diferencias importantes hay entre los españoles y los japoneses?
- ¿A Masako le gusta vivir en España? ¿Por qué?
- ¿Se comporta igual ahora que cuando llegó a España?

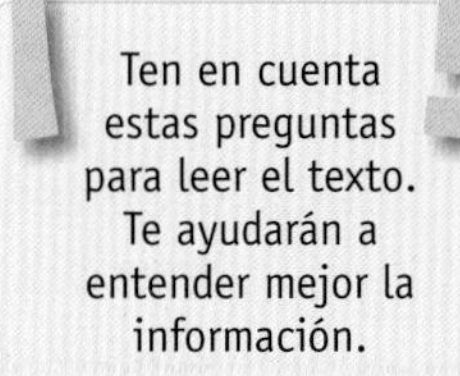

Comunicar con palabras... comunicar con silencios

Masako Ishibashi (Japón)

El carácter y la mentalidad de un país se forman a través de la historia y su clima. En mi país creemos que el clima determina el carácter de un pueblo; la gente de un país con sol es más abierta. La historia de España es bastante complicada. Además, cada región tiene una imagen distinta, y para mí es difícil describir a los españoles. Pero creo que comunicarse con muchas palabras es una tradición común de los españoles.

Cuando llegué aquí, me llamó la atención la manera de hablar de los españoles, el fuerte tono de voz y la cantidad de palabras que utilizan para decir una sola cosa o para expresar una idea. Después de bastante tiempo en España, entendí que ese modo de hablar y de comunicarse es en realidad «la cultura de la comunicación» de los españoles: hablan con dramatismo de todas las cosas, también de las cosas que no son importantes. Hablan, pero no escuchan. No te escuchan hasta el final, y cortan la palabra a las otras personas. Cuando dos españoles hablan a la vez, piden «perdón» y continúan hablando.

En mi país, se considera que es mejor «hablar poco» y expresarse de manera concreta. Hay que escuchar con atención y sin interrumpir. Para muchos españoles, vivir es hablar. Nosotros, los japoneses, necesitamos silencio para apreciar la belleza, para sentirla y disfrutarla.

Los españoles son amables y hospitalarios con los extranjeros. En general, expresan de forma muy clara sus sentimientos. Hoy, después de tantos años, me siento bien integrada en la sociedad española. Vivir en España es vivir con muchas emociones. ¡Es excitante! Ahora estoy acostumbrada a esta manera de hablar de los españoles. El resultado es que, ahora, ¡yo también hablo más y con el tono más fuerte!

b ¿A quién se parece más la gente de tu país: a los españoles, a los japoneses o a los suizos? Habla con tu compañero.

c ¿Conoces España? ¿Conoces españoles que viven en tu país? ¿Hay cosas que te sorprenden de ellos? ¿Hay cosas que te gustan, te molestan...? Habla con tu compañero.

Piensa en:

- las costumbres, los horarios
- la manera de comportarse
- la manera de hablar
- la manera de tratar a los extranjeros
- ...

■ *Los españoles comen muy tarde y generalmente se acuestan después de medianoche. Eso me sorprendió mucho en mi primer viaje a España.*

1. El pretérito indefinido: Verbos con cambio de vocal

CAMBIO E > I	PEDIR	ELEGIR	PREFERIR
Yo	pedí	elegí	preferí
Tú	pediste	elegiste	preferiste
Usted / él / ella	pidió	eligió	prefirió
Nosotros / nosotras	pedimos	elegimos	preferimos
Vosotros / vosotras	pedisteis	elegisteis	preferisteis
Ustedes / ellos / ellas	pidieron	eligieron	prefirieron

En este grupo solo hay verbos en *-IR*.

Las terminaciones son las de los indefinidos regulares.

CAMBIO O > U	MORIR	DORMIR
Yo	morí	dormí
Tú	moriste	dormiste
Usted / él / ella	murió	durmió
Nosotros / nosotras	morimos	dormimos
Vosotros / vosotras	moristeis	dormisteis
Ustedes / ellos / ellas	murieron	durmieron

Solo tienen el cambio de vocal las terceras personas (singular y plural): él / ella / usted y ellos / ellas / ustedes.

Estos verbos también tienen cambio de vocal en el presente (ver unidad 4).

2. El pretérito indefinido : verbos irregulares

	PODER	QUERER
Yo	pude	quise
Tú	pudiste	quisiste
Usted / él / ella	pudo	quiso
Nosotros / nosotras	pudimos	quisimos
Vosotros / vosotras	pudisteis	quisisteis
Ustedes / ellos / ellas	pudieron	quisieron

3. Indicar el momento en el que ocurre un hecho pasado

Indicar el tiempo transcurrido	Llegué a España hace 5 años.
Relación con otro hecho: posterioridad	Me fui a Irlanda cuando terminé los estudios. Me fui a Irlanda después de terminar los estudios.
Relación con otro hecho: anterioridad	Volvió a España antes de jubilarse.
Duración	Trabajé en Alemania durante 10 años.

4. Posición de los pronombres personales

Delante del verbo conjugado	Se jubiló hace cuatro años.
Detrás del infinitivo	Volvió a España antes de jubilarse. Decidí irme a Irlanda.

Repaso 2

Jugamos y repasamos

- Suma y gana
- El Corte IngléSS

SUMA Y GANA

Vamos repasar las seis unidades anteriores con un juego.

Instrucciones

1. El tablero tiene 12 casillas. En cada una se propone una pregunta y tiene un valor en puntos (entre 1 y 4 puntos).
2. El objetivo es «ganar» las casillas: si se resuelve la pregunta correctamente se ganan los puntos. Gana el equipo que suma más puntos.

3. Se juega en grupos de cuatro personas: se enfrentan dos equipos de dos personas (Equipo A y Equipo B).
4. Por turnos, cada equipo indica la casilla que quiere conseguir. Tiene dos minutos para preparar la respuesta.
5. El equipo que escucha la respuesta decide si esta es correcta o no.
6. Si la respuesta es correcta, el equipo correspondiente marca la casilla ganada en el tablero. Si la respuesta no es correcta, esa casilla está libre y sigue en el juego.
7. El juego acaba cuando están ganadas todas las casillas del tablero.

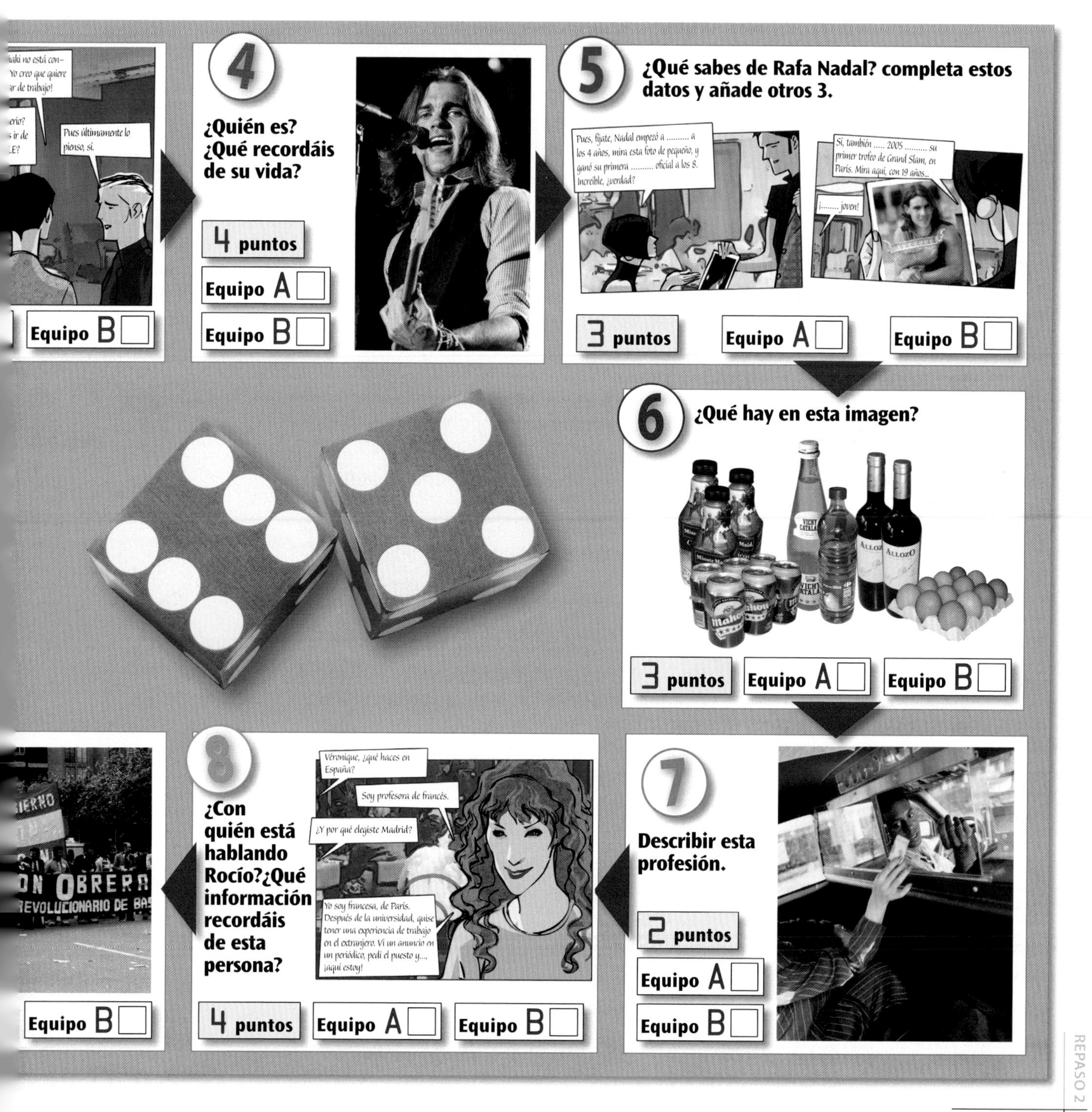

1. El Corte Inglés

a ¿Sabes qué es El Corte Inglés? Lee la página web y el texto y descúbrelo. ¿Conoces alguna empresa similar a esta en tu país o en otro lugar? ¿Cuál? Coméntalo con tus compañeros.

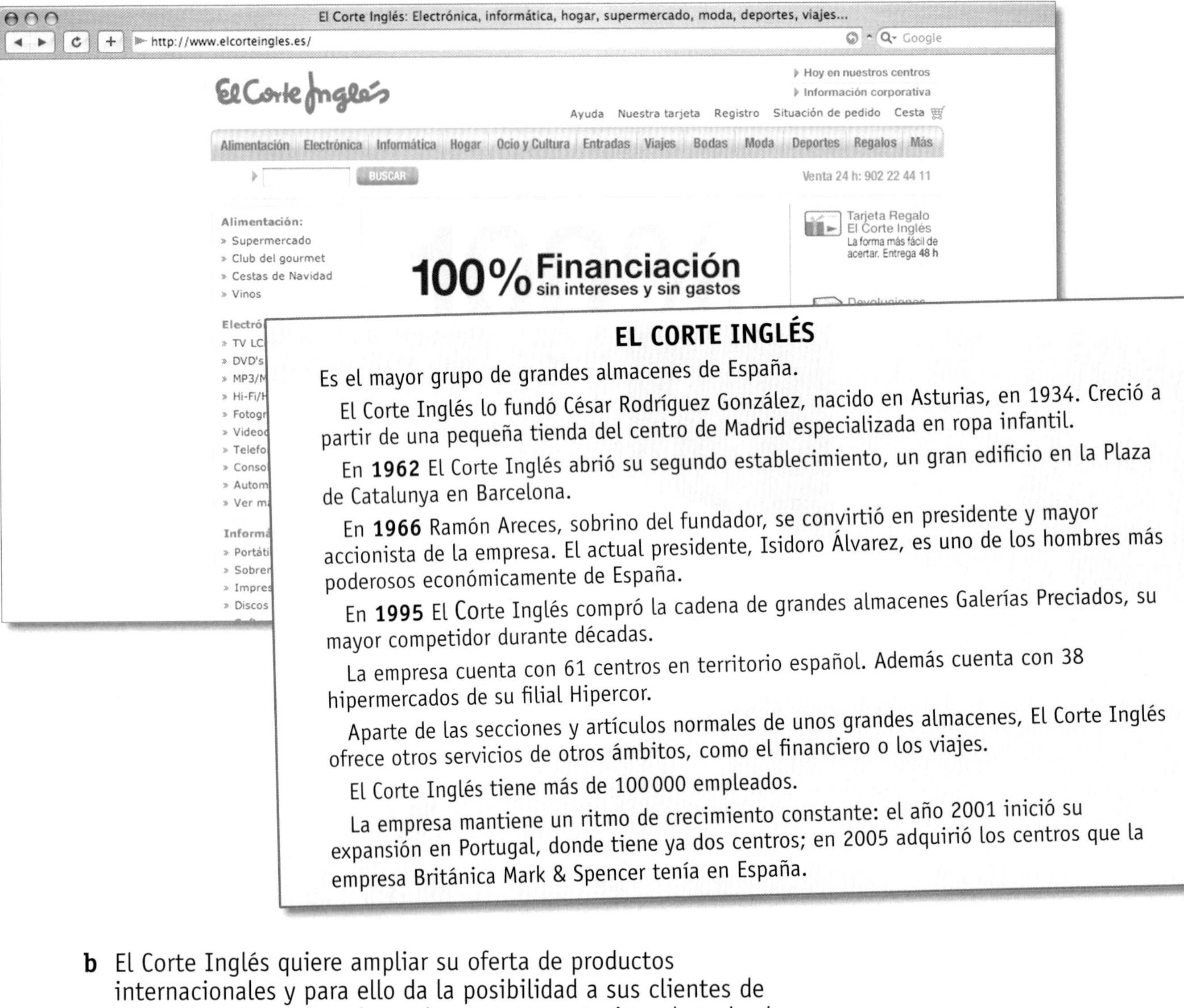

EL CORTE INGLÉS

Es el mayor grupo de grandes almacenes de España.

El Corte Inglés lo fundó César Rodríguez González, nacido en Asturias, en 1934. Creció a partir de una pequeña tienda del centro de Madrid especializada en ropa infantil.

En **1962** El Corte Inglés abrió su segundo establecimiento, un gran edificio en la Plaza de Catalunya en Barcelona.

En **1966** Ramón Areces, sobrino del fundador, se convirtió en presidente y mayor accionista de la empresa. El actual presidente, Isidoro Álvarez, es uno de los hombres más poderosos económicamente de España.

En **1995** El Corte Inglés compró la cadena de grandes almacenes Galerías Preciados, su mayor competidor durante décadas.

La empresa cuenta con 61 centros en territorio español. Además cuenta con 38 hipermercados de su filial Hipercor.

Aparte de las secciones y artículos normales de unos grandes almacenes, El Corte Inglés ofrece otros servicios de otros ámbitos, como el financiero o los viajes.

El Corte Inglés tiene más de 100 000 empleados.

La empresa mantiene un ritmo de crecimiento constante: el año 2001 inició su expansión en Portugal, donde tiene ya dos centros; en 2005 adquirió los centros que la empresa Británica Mark & Spencer tenía en España.

b El Corte Inglés quiere ampliar su oferta de productos internacionales y para ello da la posibilidad a sus clientes de enviar sus propuestas de productos representativos de todos los lugares del mundo. En parejas o en grupos de tres elegid tres productos de las categorías de la lista que pueden representar a vuestros países o a otros que conocéis:

Una comida o una bebida
Un objeto de cocina
Un mueble
Una prenda de ropa
Un objeto de artesanía

- *Podemos proponer, para la sección de ropa, unos «lederhosen» alemanes.*
- *Vale. Buena idea. ¿Y cómo se dice «lederhosen» en español? ¿Pantalón de cuero?*

c Preparad una descripción de los productos (clasificación, lugar de procedencia, usos, formas, colores, materiales, tamaño, etc.) y presentádsela al resto de la clase. Luego tenéis que votar y elegir la mejor lista, o bien preparar una nueva lista única de toda la clase con diferentes propuestas.

Transcripción

UNIDAD 1

Primera línea

1. ¿Es español? 1

c) Escucha y comprueba.

1: playa	6: champú
2: mujer	7: estación
3: teléfono	8: zapato
4: guitarra	9: niño
5: queso	10: hotel

Primera línea

2. Del 10 al 0 2

b) Escucha y comprueba.

Atención, preparados, empieza la cuenta atrás: diez, nueve, ocho, siete, seis, cinco, cuatro, tres, dos, uno ¡¡cero!!

Primera línea

3. Los sonidos del español: las vocales 3

a) Estas son las vocales del español. Escucha y repite.

A E I O U

Primera línea

3. Los sonidos del español: las vocales 4

b) Relaciona las palabras que escuchas con el grupo de vocales correspondiente.

1. niño	6. murciélago
2. zapato	7. playa
3. casa	8. estación
4. mamá	9. tabaco
5. vino	10. relación

Primera línea

4. Los sonidos del español: las consonantes 5

a) Escucha y observa. Luego escribe ejemplos de cada serie. Busca palabras en las actividades 1. y 2.

ca	que	qui	co	cu
za	ce	ci	zo	zu
ga	gue	gui	go	gu
ja	ge (je)	gi (ji)	jo	ju

Primera línea

4. Los sonidos del español: las consonantes 6

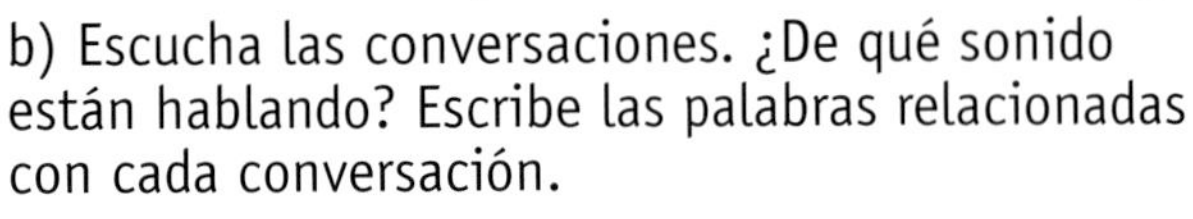
b) Escucha las conversaciones. ¿De qué sonido están hablando? Escribe las palabras relacionadas con cada conversación.

Conversación 1

- 'Hotel'
- ○ No, no, la 'hache' no suena; 'hotel', 'hola'...
- Ah, sí, 'hotel', 'hola'...

Conversación 2

- ¿Ves?, 'ce' y 'hache' siempre se pronuncia 'ch'.
- ○ ¡Ah! Claro, como en 'champú'...
- Sí, sí, pero no sólo al principio...
- ○ Claro, como en 'ocho'.

Conversación 3

- ¿La 'eñe' sólo existe en español?
- ○ Bueno, el sonido existe en muchas lenguas, pero la letra, así, no sé, creo que no.

Conversación 4

- Me gusta mucho la 'paela'...
- ○ No, no, se dice, 'paella', como 'Sevilla', 'playa'...

Conversación 5

- ○ La 'r', ¿siempre suena fuerte 'erre'?
- No, también suave, como en 'Perú'.

Conversación 6

- En mi país, decimos 'ese' pero en España dicen 'ce'.
- ¿También al final de palabra?
- Sí, sí...

Agencia ELE

¿Qué significa «vacaciones»? 7

Paloma de vacaciones por España. Escucha y lee.

Bara: ¿Cómo se dice *beautiful* en español?
Paloma: *Bonito.*
Bara: ¿Cómo se escribe? ¿Con B o V?
Paloma: Con B.

Paloma: Perdona, ¿qué hora es?
Chico: *Je ne comprends pas* , eeeeh, no entiendo, no espagnol, no hablo español.

Camarero: Flan, pudin, helado de fresa, de chocolate, de vainilla, tarta helada, tarta de Santiago, fruta...
Paloma: Más despacio, por favor.
Camarero: Fruta: naranja, melón, plátano, manzana...

Bara: ¿Qué significa "cerrado"?
Paloma: Closed.

Empleado: ¿Nombre?
Paloma: Bara Anderson.
Empleado: ¿Cómo se escribe?
Paloma: Be, a, erre, a: Bara. An – der – son, como suena.
Empleado: ¿Sin hache?
Paloma: Sí, sí, sin hache.

Doctora: Alergine Complex tres veces al día, cada ocho horas...
Paloma: Perdone, ¿puede repetir?
Doctora: Sí, claro, Alergine Complex tres veces al día, cada ocho horas.

Entre líneas

1. En clase, en español 8

b) Escucha los diálogos y completa.

Diálogo 1

- ¿Cómo se dice en español *beach*?
- Silencio, por favor. Perdón, ¿puede repetir?
- ¿Cómo se dice en español *beach*?

Diálogo 2

- Primero, vamos a hacer el ejercicio de la página 9...
- Perdón, no entiendo, ¿qué significa *ejercicio*?
- ¿*Ejercicio*? Es como actividad...

Diálogo 3

- "Busca-estas-frases-en-el-cómic. ¿Quién-las-dice?: No-entiendo, no-hablo-español"...
- Más despacio, por favor...
- "Perdón, ¿puede repetir?, Más despacio, por favor"...

Entre líneas

2. A, b, c... abecedario 9

b) Escucha y comprueba.

a	be	ce	che	de
e	efe	ge	hache	i
jota	ka	ele	elle	eme
ene	eñe	o	pe	cu
erre	ese	te	u	uve
uve doble	equis	i griega	zeta	

Entre líneas

3. ¿Cómo se escribe? 10

a) Escucha los diálogos y marca la opción correcta.

Diálogo 1

- ¿Cómo se escribe 'helado', ¿con hache o sin hache?
- Con hache.

Diálogo 2

- ¿'Gente' se escribe con ge o con jota?
- Con ge.

Diálogo 3

- 'Llave' se escribe con elle, ¿no?
- Sí, con elle.

Diálogo 4

- ¿'Perro' se escribe con una erre o con dos erres?
- Con una erre.

Diálogo 5

- ¿'Lápiz' termina en ese o en zeta?
- En zeta.

Entre líneas

3. ¿Cómo se escribe? 11

b) Escucha y escribe la palabra completa en el lugar correspondiente. Después comprueba con tu compañero.

Diálogo 1 → Hache – e – ele – a – de – o
Diálogo 2 → Ge – e – ene – te – e
Diálogo 3 → Elle – a – uve – e
Diálogo 4 → Pe – e – erre – o
Diálogo 5 → Ele – a – pe – i – zeta

Entre líneas

4. Países y ciudades en español 12

a) ¿Cómo se pronuncian? Lee estos nombres de ciudades en español. Después, escucha y comprueba.

Londres	Rabat
Manchester	Jerusalén
Nueva York	Moscú
Pekín	El Cairo
Lisboa	Ámsterdam
Atenas	París
Florencia	Río de Janeiro
Génova	

Entre líneas

4. Países y ciudades en español 13

b) Escucha el deletreo y copia los nombres de algunos países de las ciudades anteriores.

1. i – te – a – ele – i – a
2. efe – erre – a – ene – ce – i – a
3. e – ge – i – pe – te – o
4. erre – u – ese – i – a
5. i – ene – ge – ele – a – te – e – erre – erre – a
6. eme – a – erre – erre – u – e – ce – o – ese
7. ge – erre – e – ce – i – a
8. hache – o – ele – a – ene – de – a
9. a – ele – e – eme – a – ene – i – a
10. che – i – ene – a

Entre líneas

4. Países y ciudades en español 14

c) Escucha de nuevo y comprueba.

1. Italia	6. Marruecos
2. Francia	7. Grecia
3. Egipto	8. Holanda
4. Rusia	9. Alemania
5. Inglaterra	10. China

UNIDAD 2

Primera línea

2. Nombres y apellidos 15

a) Escucha al doctor Roldán y completa la lista de las personas que tienen cita hoy.

Daniel García Martín
Paula Urresti Sánchez
Fátima Hussein
María José Carrillo Juárez
James Taylor
José Luis Toledo Fernández
Montserrat Zapatero Pons

Agencia ELE

El primer día de trabajo de Paloma Martín en la AGENCIA ELE 16

Es el primer día de trabajo de Paloma Martín. Lee y escucha las conversaciones que mantiene para conocerla a ella y a sus compañeros de trabajo.

Carmen Torres:	Esta es Paloma, Paloma Martín, la nueva fotógrafa.
Paloma Martín:	Hola, ¿qué tal?
Rocío:	¡Hola!
Miquel:	Hola, ¿qué tal?
Luis:	Bienvenida.
Carmen Torres:	A ver, te presento... Este es Luis, redactor de Cultura, el madrileño del equipo... Esta es Rocío, la redactora de Sociedad. Es de Málaga... Y este es Miquel, el cámara.
Luís:	Mucho gusto.
Rocío:	¡Hola!
Miquel:	Encantado.
Paloma Martín:	Encantada.
Carmen Torres:	Y este es Sergio Montero, nuestro reportero...
Paloma Martín:	Hola.
Sergio Montero:	Hola, ¿qué tal?
Carmen Torres:	Y hoy trabajas con él en un reportaje, ¿no, Sergio?
Sergio Montero:	Sí, sí, necesito fotos para el reportaje.
Sergio Montero:	Es un reportaje sobre la gente de Madrid, personas diferentes...
Paloma Martín:	¿Quién es la persona de hoy?
Sergio Montero:	Es Ernesto Cocco, un músico de jazz, toca en un club...
Paloma Martín:	¿Es español?
Sergio Montero:	No, es argentino, pero está casado con una española...
Paloma Martín:	¡Anda!, mi madre también es argentina...
Sergio Montero:	Buenos días. ¿El señor Cocco, por favor?
Ernesto Coco:	Sí, soy yo.
Sergio Montero:	Hola, soy Sergio Montero, de la Agencia ELE.
Paloma Martín:	Yo soy Paloma Martín
Ernesto Coco::	¡Ah! Sí. ¡Hola!

En línea con

3. Una selección exquisita 17

a) La *sección del Gourmet* de un supermercado anuncia sus productos. Escúchala y comprueba si tus hipótesis son acertadas.

El supermercado *Sogilam* le recuerda que en nuestro *Rincón del Gourmet* puede encontrar la más completa y selecta variedad de productos nacionales y de importación a los mejores precios. Visite la sección de bebidas, donde encontrará una extensa gama de vinos españoles, franceses, chilenos o de California, así como las mejores marcas de ron cubano, vodka ruso o *whisky* escocés. Sin olvidar, por supuesto, la amplia selección de cervezas de importación, mexicanas, alemanas u holandesas. Llene de sabor y lujo sus platos degustando las mejores carnes argentinas y de Nueva Zelanda, el salmón noruego, el caviar iraní o los exquisitos quesos españoles, franceses e italianos. Sorprenda a su familia y amigos con frutas venidas de los más exóticos países: bananas de Costa de Rica, mangos de la India o papayas de Venezuela. Saboree el insuperable aroma de nuestros cafés de Colombia, Guatemala y Kenia. En nuestro *Rincón del Gourmet* los más golosos encontrarán deliciosos chocolates belgas y suizos. Visítenos hoy mismo.

Primera línea

1. Calendario de fiestas (18)

b) Escucha la canción. ¿De qué fiesta habla? ¿Cuándo se celebra?

Uno de enero, dos de febrero, tres de marzo, cuatro de abril, cinco de mayo, seis de junio, siete de julio san Fermín, a Pamplona hemos de ir.

Primera línea

3. Números de teléfono (19)

Escucha estos dos anuncios de información telefónica y marca los números.

Anuncio 1:
Toda la información que usted necesita en un número: 11 / 8 / 11.
Para su empresa, para los profesionales, para lo que usted necesita: 11 / 8 / 11.

Anuncio 2:
¡No lo dudes! Si necesitas información, marca siempre el 11 / 8 / 88, ¡tu número!: cines, restaurantes, discotecas, librerías, ¡tenemos todos los números que necesitas! No lo olvides: 11 / 8 / 88.

Agencia ELE

La fiesta de la bicicleta (20)

a) Lee y escucha.

Sergio Montero: Mira, Paloma, vamos a hacer un reportaje sobre la fiesta de la bicicleta.
Paloma Martín: ¿Cuándo es?
Sergio Montero: Este domingo, a las 11.
Paloma Martín: Vale, muy bien, ¿y qué tipo de reportaje?
Sergio Montero: Pues, entrevistas a la gente para saber quiénes son, por qué van a la fiesta...

Sergio Montero: Oiga, perdone, por favor...
Pepe Ruiz: ¿Sí?
Sergio Montero: Soy periodista, ¿puedo hacerle unas preguntas?
Pepe Ruiz: Sí, sí.
Sergio Montero: ¿Cómo se llama?
Pepe Ruiz: Pepe, Pepe Ruiz.
Sergio Montero: ¿Cuántos años tiene?
Pepe Ruiz: 74.
Sergio Montero: ¿Viene solo a la fiesta?
Pepe Ruiz: No, no, vengo con mi nieto. Es este chico.
Sergio Montero: ¿Y por qué viene?
Pepe Ruiz: Por mi nieto. Vienen muchos niños de su edad...

Sergio Montero: Oye, ¿te puedo hacer unas preguntas? Es para un reportaje...
Laura: ¡Vale!
Sergio Montero: ¿Cómo te llamas?
Laura: Laura, me llamo Laura.
Sergio Montero: ¿Y cuántos años tienes?
Laura: 18.
Sergio Montero: ¿A qué te dedicas?
Laura: Soy estudiante.
Sergio Montero: ¿Vienes sola a la fiesta?
Laura: No, vengo con mis hermanas.
Sergio Montero: ¿Cuántas sois?
Laura: Somos tres.
Sergio Montero: ¿Y por qué venís a la fiesta?
Hermana 1: Yo, por el ambiente, y por hacer deporte.
Laura: Yo también.
Hermana 2: Pues yo vengo porque soy ecologista. ¡Y porque es una fiesta muy divertida!

Sergio Montero: Oye, perdona.
María José: ¿Sí?
Sergio Montero: Hola, soy de la Agencia ELE, ¿te puedo hacer unas preguntas?
María José: Sí, claro.
Sergio Montero: ¿Cómo te llamas?
María José: María José.
Sergio Montero: ¿Cuántos años tienes?
María José: 42.
Sergio Montero: ¿Estás casada?
María José: No, estoy divorciada.
Sergio Montero: ¿Vienes sola?
María José: No, vengo con mis hijos y con unos amigos.
Sergio Montero: ¿Y cuántos hijos tienes?
María José: Tengo dos. Son estos: Jaime, de ocho años, y Natalia, de seis.

En línea con

2. Una fiesta española: las Fallas de Valencia (21)

c) Escucha esta entrevista sobre las Fallas. ¿Qué informaciones de la lista anterior aparecen?

Locutor: El fuego es un elemento muy importante en la historia del hombre. Su descubrimiento por el hombre es una revolución. También es el origen de los hogares y de las familias, que se reúnen en torno al fuego. Los hombres han convertido también al fuego en un elemento clave de sus fiestas. Por ejemplo, en las Fallas de Valencia. Amparo Vicent, de Radio Valencia, buenos días.
Amparo Vicent: Hola, buenos días.

Locutor: Oye, ¿el fuego en las Fallas qué simboliza?

Amparo Vicent: Simboliza dos cosas: por una parte quemar, romper pues con lo malo de este año; y también representa el cambio de estación, decir adiós al invierno y recibir la primavera. Ya sabes que las Fallas son el 19 de marzo, al final del invierno.

Locutor: Oye, y de los orígenes de las Fallas, ¿qué queda hoy? ¿Cómo es la evolución de la fiesta de las Fallas?

Amparo Vicent: Bueno, pues yo creo que queda el ritual del fuego en el cambio de estación.
Y se ha desarrollado mucho como expresión artística. También está la idea inicial: destruir las cosas malas del año con el fuego.

Agencia ELE

En el festival de cine de San Sebastián 22

a) Lee y escucha.

Sergio Montero: ¿Tú qué haces hoy, Luis? ¿Qué película vas a ver?
Luis: Hoy estoy muy contento: voy a ver la de Guillermo del Toro.
Sergio Montero: ¡Ah, sí! Es una de terror, ¿no?
Luis: No, no, no es de terror, es fantástica. Es buenísima. Es de una niña que...
Sergio Montero: Ya veo que te gusta el cine fantástico ¿no?
Luis: Sí, me encanta, ¿a ti no?
Sergio Montero: Bueno, sí, me gustan las de ciencia-ficción, pero prefiero el cine de aventuras. ¿Y tú, Paloma?
Paloma Martín: ¿Yo? Pues no sé, me gustan las comedias, Woody Allen, por ejemplo. Luego, pues, me gusta el cine argentino...
Luis: Bueno, ¿y vosotros qué hacéis hoy?
Sergio Montero: Yo voy a la rueda de prensa del director del festival.
Paloma Martín: Yo quiero hacer fotos de los actores en el hotel, pero si quieres, voy contigo y hago fotos en la rueda de prensa.
Sergio Montero: ¡Ah, vale, perfecto!

Sergio Montero: ¿Quieres ir a tomar algo?
Paloma Martín: ¡Ah, sí, estupendo! ¿Dónde vamos? Yo no conozco San Sebastián, ¿y tú?
Sergio Montero: Un poco, el casco viejo... Si quieres podemos tomar unos pinchos en una taberna por esa zona, ¿o prefieres ir a un restaurante?
Paloma Martín: No, no, mejor vamos a probar los famosos pinchos vascos, ¿no?
Sergio Montero: Sí, sí, a mí me encantan...

Entre líneas

2. ¿Qué prefieres? 23

a) Ordena las intervenciones del siguiente diálogo.

- ¿Quieres ir al cine esta tarde?
- Ah, sí, vale, ¿y qué película quieres ver?
- No sé..., si quieres vemos la última de Guillermo del Toro.
- Pues..., ¡puff! ... yo prefiero una comedia.
- ¿Qué prefieres, una argentina o la de Woody Allen?
- Mejor la argentina.

Entre líneas

5. Tiempo libre organizado 24

b) Escucha a los organizadores de dos secciones que participan en un programa de radio. ¿De qué secciones hablan? ¿Qué actividades realizan?

Locutora: Seguimos hablando de algunas actividades que se pueden realizar en el centro municipal «Tiempo Libre» y tenemos con nosotros a Nacho García, responsable de la sección «Sobre ruedas». Nacho, ¿Qué tipo de actividades organizáis en esta sección?
Nacho: Bueno, principalmente organizamos excursiones a lugares de interés en bicicleta, algunas veces también en moto o todoterreno..., lo importante es el camino...
Locutora: Una buena opción para los más viajeros, ¿verdad? Y también está con nosotros Marta Tomo, que es la responsable de «Libromanía». Marta, ¿en qué consiste «Libromanía»?
Marta: Pues la actividad principal es un club de lectura: se propone la lectura de un libro cada quince días y después nos reunimos para comentarlo. Se trata de dar a conocer libros importantes de la literatura en español y también nuevos autores... También organizamos intercambios de libros y conferencias y encuentros con autores importantes.

En línea con

2. Los hábitos culturales de los españoles 

a) Escucha una vez los resultados de esta encuesta sobre las actividades culturales y los espectáculos preferidos de los españoles, y señala si las frases son verdaderas o falsas.

La cultura de un país tiene relación con la situación económica y política. El Ministerio español de Cultura ha publicado una encuesta de hábitos culturales en España; un estudio sobre la cultura en la sociedad. Según este estudio, escuchar música es la actividad cultural favorita de los españoles: casi un 90% lo hace. El cine es el espectáculo cultural preferido: más del 50% de los encuestados ha ido al cine el último año. Por otro lado, desde 1990 ha aumentado el público del teatro: un 30% de los encuestados va al teatro a menudo.
A los españoles les gusta leer: casi un 30% lee textos por placer, textos no relacionados con el trabajo.
Son muy importantes los medios de comunicación. El 90% de los españoles escucha la radio, y casi el 100% ve la televisión. El tiempo dedicado a ver la tele es de casi tres horas diarias. Los informativos son los programas preferidos de los españoles. También les gustan las películas, los documentales y las series.

Primera línea

2. Calles y avenidas

26

Escucha las tres conversaciones de este taxista. Marca dónde va cada cliente.

Taxista: Buenos días.
Mujer: Hola, buenas, a la plaza de España, por favor, número 29.
Taxista: Muy bien.

Chico: Hola.
Taxista: Buenas tardes.
Chico: Quiero ir al paseo del Rey 187.

Chico: Buenas tardes.
Taxista: Buenas.
Chico: Vamos a la avenida de la Reina Victoria número 304, por favor.
Taxista: De acuerdo.

Primera línea

3. En mi barrio, en mi calle

27

b) Escucha la descripción de una calle. ¿Cuál es, A o B?

Chica 1: Mira, a la derecha está la comisaría y el *parking*...
Chica 2: Sí.
Chica 1: Pues mi casa está al final de la calle a la izquierda, ¿ves? Enfrente del parque...
Chica 2: Ajá.
Chica 1: Sí, está al lado del museo y la oficina de información...

Agencia ELE

Todos contra el ruido

28

a) Paloma, Sergio y Miquel tienen trabajo el sábado. Lee y escucha.

Sergio: ¿Comemos juntos el sábado antes de la manifestación?
Miquel: Vale, muy bien. ¿Cómo quedamos?
Sergio: ¿A las dos y media al lado del metro?
Paloma: ¿Qué tal un poco más tarde? ¿A las tres?
Miquel: Por mí, bien.
Sergio: De acuerdo. ¿Quedamos en la cervecería Cruz Blanca? Está al lado del metro.
Miquel y Paloma: Vale.
Vecino 1: En este barrio hay muchos coches, mucha gente y mucho ruido a todas horas.
Vecina 1: En mi calle hay una discoteca que abre a las once de la noche y cierra a las siete de la mañana. ¡Y un bar con terraza al lado de la discoteca, que abre a las siete y media de la mañana!
Vecina 2: Hay mucho tráfico, y faltan zonas verdes protegidas para los niños y los ancianos.
Vecino 2: Sí, hay mucho ambiente, pero no hay lugares tranquilos ni policías en la calle para vigilar y mantener el orden.
Vecina 3: ¡Eso, eso! ¿Dónde están los policías? ¿Y dónde está el ayuntamiento?

En línea con

2. ¿Quieres conocer Madrid?

b) Ahora vas a escuchar un anuncio de Madrid VISIÓN. Comprueba tus hipótesis y marca la información correcta.

Bienvenido a Madrid VISIÓN, la forma más atractiva de conocer Madrid. Todos los días del año, los autobuses de Madrid VISIÓN recorren la ciudad, con horario continuo, de 10 de la mañana a 9 de la noche.
Con Madrid VISIÓN usted puede conocer las principales calles de la capital y admirar cómodamente desde el segundo piso los edificios más importantes. En cualquier momento usted puede parar y visitar monumentos y museos, o parar para comer y descansar.
¡Por sólo 20 euros! Durante dos días puede disfrutar de su visita con Madrid VISIÓN. ¡Y los niños menores de 6 años gratis! Elija su ruta: el Madrid Moderno o el Madrid Histórico, dos opciones que se complementan...

En línea con

3. En ruta

30

b) ¿A qué foto corresponden estas informaciones? Escucha y comprueba.

Estamos en la calle Mayor y la próxima parada es frente a la plaza de la Villa, donde pueden admirar la actual sede del Ayuntamiento, construida alrededor de 1650. Desde aquí pueden pasear por las estrechas calles del Madrid de los Austrias y visitar la plaza Mayor, cerrada al tráfico...
Estamos en la Puerta del Sol, kilómetro cero de las carreteras españolas y corazón de la ciudad. A la derecha pueden ver el edificio de la Casa de Correos, con el famoso reloj que cada 31 de diciembre marca el inicio del nuevo año...
Nuestra próxima parada es en Museo del Prado, una de las más importantes pinacotecas del mundo. Delante del edificio, un bello palacio de estilo neoclásico, se encuentra la estatua del pintor Diego Velázquez...
Estamos en la plaza de la Independencia, donde se encuentra la entrada principal al Retiro, y donde pueden admirar, a su izquierda, la Puerta de Alcalá, una de las antiguas puertas de la ciudad...
Nuestra última parada es en la plaza de Canovas del Castillo, en el centro de la cual se encuentra la fuente de la diosa Cibeles, uno de los monumentos más queridos por los madrileños y donde se reúnen los seguidores del Real Madrid para celebrar sus victorias deportivas. Esta fuente, dedicada a la diosa Cibeles, símbolo de la Tierra...

Agencia ELE

Pirineos, lugar de vacaciones

31

a) Sergio y Paloma van a hacer un viaje. Lee y escucha.

Rocío: Entonces, ¿te vas de vacaciones mañana? ¡Qué suerte!

Sergio: No, no, me voy de viaje, pero no de vacaciones. Me voy con Paloma a hacer un reportaje sobre lugares de vacaciones en el Pirineo.

Rocío: ¡Ah! ¿Y cuántos días vais?

Sergio: Vamos a estar cinco días en total: dos días en Pirineo aragonés y luego vamos a pasar los otros tres en el Pirineo catalán.

Rocío: ¿Qué lugares vais a visitar? ¿A qué pueblos vais a ir?

Sergio: Vamos a empezar en un pueblo que se llama Ligüerre de Cinca, y luego queremos ir a Jaca para recorrer el valle de Benasque...

Rocío: ¿Dónde está Ligüerre de Cinca?

Sergio: Aquí, en el Pirineo aragonés, en la provincia de Huesca. Es un pueblo antiguo restaurado como centro de vacaciones. Es un lugar muy tranquilo, al lado de un embalse, está muy cerca del Parque Nacional de Ordesa...

Rocío: Es que no conozco esa parte del Pirineo...

Sergio: Pues es una zona muy bonita: hay montañas muy altas, pueblos antiguos, buena comida...

Rocío: ¿Y después de Huesca?

Sergio: Pues no sabemos, Paloma quiere visitar algunas iglesias románicas del Pirineo catalán, y a mí me gustaría conocer las estaciones de esquí.

Rocío: ¡Qué bien! Me gustaría mucho ir con vosotros... ¿Y qué tiempo hace ahora?

Sergio: Depende... Normalmente, en septiembre hace buen tiempo y no llueve mucho. Arriba en las montañas hace más frío y a veces nieva, pero en el valle no. Pero la verdad es que en el Pirineo el tiempo es imprevisible.

Iñaki: ¡Sergio, Sergio! Mira, hay una noticia sobre Ligüerre. No sé si es buena idea hacer el viaje ahora.

Entre líneas

2. Un día en Ligüerre de Cinca

32

b) Ahora una monitora del centro explica el plan de actividades y visitas del día. ¿Qué van a hacer? ¿En qué orden? Numera las actividades de la lista que menciona. ¿Coincide con tu plan?

Atención un momentito, por favor... ¡Buenos días a todos! Quería recordarles el plan de actividades que la agencia tiene organizado para hoy. Hoy va a ser un día tranquilo, no vamos a subir montañas, hoy lo vamos a dedicar a descubrir el valle, vamos a visitar los edificios históricos de Ligüerre y a disfrutar del lago... Después de desayunar, a las 11.00, vamos a ir a la zona antigua, donde vamos a realizar una visita guiada de la Abadía y del Torreón. A la una, más o menos, vamos a andar un poquito, vamos paseando hasta la ermita de Santiago. Como hace buen tiempo, vamos a aprovechar que allí hay una zona verde estupenda, y nuestros compañeros del restaurante van a llevarnos allí la comida, ¡un delicioso *picnic*! Para las *cuatro* tenemos organizado un paseo por el embalse, entonces iremos andando desde la ermita hasta el embarcadero donde nos espera el barco. La ruta en barco termina más o menos a las 6.30 de la tarde. Un día bien completo, ¿eh? Espero que las actividades les parezcan interesantes... ¿Alguna pregunta? ... ¿no? .... Pues les veo a todos a las 11:00. ¡Hasta luego!

Agencia ELE

De primero, sopa 33

a) Rocío e Iñaki están preparando un reportaje sobre los hábitos de la gente en la hora de la comida. Antes de salir charlan con Luis y Paloma.

Luis: ¿Vais a desayunar?
Rocío: No, no, vamos a hacer las entrevistas para el reportaje sobre los hábitos para las comidas...
Iñaki: Por cierto, vosotros, ¿dónde coméis hoy?
Paloma: Yo como aquí, en la cocina.
Iñaki: ¡Ah! ¿Te traes la comida de casa?
Paloma: Sí, casi siempre. Es más sano y más barato. Mira, hoy tengo, de primero, sopa y, de segundo, pollo.

Luis: Pues yo voy a comer, como siempre, el menú del día de Los Arcos. Es bueno y, además, prefiero salir de la oficina.
Iñaki: Ah, sí, Los Arcos, nosotros también vamos a comer allí hoy.
Rocío: Sí, nos vemos allí sobre las dos, ¿vale?

Rocío: Perdonen, ¿pueden contestar unas preguntas? ¿Dónde van a comer hoy? ¿Qué van a comer?
Señor 1: Yo, el menú del día, en el restaurante.
Señor 2: Pues, yo como en casa, no sé qué, algo bueno, espero.
Rocío: Perdona, ¿comes en un restaurante o en casa?
Chica: Yo como en la oficina, me llevo la comida de casa. Hoy llevo macarrones y un poco de fruta.
Rocío: Perdone, señora, ¿usted come en casa o fuera?
Señora: Casi siempre fuera, normalmente un plato combinado en la cafetería de la esquina.

Rocío: ¿Y vosotros, vais a comer a casa?
Chica: No, comemos en la facultad, un bocadillo, normalmente.

Paloma: ¿Qué hay de menú?
Luis: ¿Y tu comida de casa?
Paloma: No funciona el microondas, ¡y no me gusta la sopa fría!
Iñaki: No pasa nada, mujer, mira, aquí también puedes comer sopa y pollo.

Entre líneas

3. En el restaurante 34

a) Escucha las conversaciones de las personas de Agencia ELE con el camarero del restaurante Los Arcos y marca en el menú lo que pide cada uno.

Luis: ¡Oiga, por favor!
Camarero: Un momentito, por favor. Sí, ¿qué van a tomar?
Luis: Sí, a ver, de primero, ensalada del día y, de segundo, salmón a la plancha.
Rocío: Yo..., yo también, ensalada y salmón.
Camarero: Muy bien, ¿y ustedes?
Iñaki: Pues..., yo de primero, macarrones con tomate y, de segundo, albóndigas.
Camarero: De acuerdo...
Paloma: Pues yo, de primero sopa de pescado y, de segundo, pollo.
Camarero: ¿Para beber?
Luis: Agua, por favor.
Camarero: ¿Agua para todos?
Iñaki, Paloma y Rocío: Sí, sí, agua.

Iñaki: Perdone...
Camarero: ¿Sí?
Iñaki: ¿Puede traer un poco más de pan?
Camarero: Ahora mismo.

Camarero: ¿Toman postre o café? De fruta hay melón.
Paloma: Yo café, café solo, por favor.
Iñaki: Yo, postre..., fruta.
Luis: Sí, yo también fruta.
Rocío: Para mí, un café con leche.

Paloma: Perdone, por favor...
Camarero: ¿Sí?
Paloma: La cuenta, por favor.
Camarero: Sí, en seguida.

Entre líneas

4. Alimentación equilibrada 35

b) Escuchad la conversación de Luis con el doctor Magro y comprobad vuestras hipótesis.

Luis: Y me siento cansado, cada día estoy más gordo...
Doctor: La alimentación es fundamental. Hay que comer bien...
Luis: Ya, no comer dulces ni nada rico.
Doctor: No, hombre, no, es cuestión de comer de todo pero en las cantidades adecuadas: mira, cada día, pero cada día, ¿eh?, hay que tomar, por lo menos, cuatro porciones de fruta y verdura, cuatro, ¿tú lo haces?
Luis: Bueno, yo, la verdad es que fruta no tomo nunca. Verdura sí, ¿eh? Tres veces a la semana, más o menos...
Doctor: Tienes que tomar más verdura Luis, e hidratos de carbono, bueno, ya sabes, pan, arroz, pasta..., esta es la base de la alimentación, ¡y si son integrales, mejor!

Luis:	Pues pan, pan tomo mucho, en el desayuno, la comida, la cena..., y pasta y arroz también, casi todos los días.
Doctor:	Muy bien eso, muy bien. ¿Y el grupo de las proteínas: carne, pescado, huevos, legumbres?
Luis:	Carne y huevos, sí, todos los días, pero pescado, nunca, no me gusta.
Doctor:	Pues tienes que variar, y también legumbres, ¿eh?
Luis:	Legumbres, pues, tomo fabada un día a la semana.
Doctor:	Eso es poco... ¿Y los lácteos?
Luis:	¡Uy sí! Los lácteos me encantan, tomo leche con los cafés, yogures y queso de postre siempre.
Doctor:	Pues de eso sólo hay que tomar dos porciones al día, así que tienes que sustituir algún lácteo por fruta de postre.
Luis:	Menos lácteos, sí...

En línea con

2. Desayuno en el bar 36

a) En un programa de radio habla un camarero de un café de Madrid sobre las costumbres de sus clientes para desayunar. Compara esta información con el texto sobre España. ¿Se dice lo mismo? Habla con tu compañero.

Periodista:	Vamos a investigar cómo son los desayunos en un céntrico café de Madrid. Hablamos con Fernando. Fernando Vera es camarero, hijo del propietario del Café Comercial de Madrid. Fernando, buenos días.
Fernando:	Hola, buenos días.
Periodista:	¿A qué hora empieza el servicio?
Fernando:	A las siete y media de la mañana.
Periodista:	Siete y media, ¿eh? Y a partir de ese momento, ¿cuántos cafés servís en un desayuno, habitualmente?
Fernando:	Pues... miles de cafés.
Periodista:	¿Miles?
Fernando:	Sí, sí, sí.
Periodista:	¿Y cuál es el favorito, Fernando?
Fernando:	El café con leche. El café con leche es el favorito de los clientes del local.
Periodista:	¿Café con leche verdadero, descafeinado, o...?
Fernando:	No, no. Verdadero, el verdadero.
Periodista:	Y churros o porras, ¿no?
Fernando:	Churros. En el Comercial hacemos churros.
Periodista:	O sea que, Fernando, café con leche y churros es el desayuno típico del Café Comercial.
Fernando:	Café con leche y churros, sí. Y el chocolate, también.
Periodista:	Chocolate con churros, pero más para la merienda, ¿no?
Fernando:	Sí..., pero algunos clientes también lo toman para el desayuno.
Periodista:	Fernando, ¿cuánto tiempo estamos desayunando? ¿Cinco minutos, diez...?
Fernando:	Pues durante la semana, muy poco tiempo. Entre cinco y diez minutos... El fin de semana, un poco más, con el periódico...
Periodista:	Oiga, Fernando, ¿y quién es el último en desayunar? ¿Hasta qué hora se puede desayunar?
Fernando:	Entre semana, a la una o una y cuarto. Y los fines de semana, no hay horarios...

En línea con

3. Un buen desayuno 37

b) En el programa de radio de antes, tres personas llaman por teléfono y explican cómo son sus desayunos. Escucha las conversaciones y toma nota de qué come cada una. ¿Cuál de las tres toma el desayuno más completo?

1.

Periodista:	Pues a ver, vamos a ver qué desayunan nuestros oyentes, y si sienten placer en este momento del desayuno. Tamara, de Sevilla, buenos días.
Tamara:	Buenos días.
Periodista:	Hola, Tamara, ¿qué desayunas?
Tamara:	Ay, pues mira, a mí me gusta mucho desayunar...
Periodista:	Sí...
Tamara:	... porque estoy a dieta ahora, pero por la mañana puedo comer bien. Y me tomo mi zumito de naranja, y mi pan con aceitito de oliva y un poquito de jamón, y un café con leche bien cargadito, para empezar bien el día.
Periodista:	O sea, que seguramente es una de las comidas más agradables del día, que te la comes con más ganas, ¿verdad, Tamara?
Tamara:	Síí.

2.

Periodista:	Celi, de Las Palmas de Gran Canaria, buenos días.
Celi:	Hola, buenos días.
Periodista:	Hola, Celi. ¿Qué desayunas?
Celi:	Pues yo desayuno... lo primero, un café solo. Después me tomo un zumo de naranja, que me gusta mucho; y luego, mi yogur con cereales. Eso, todos los días. Y luego, los fines de semana me encanta poner una buena mesa, con fruta... Me encanta la fruta, me encanta un buen embutido, queso... Una mesa puesta, sin problemas de tiempo para desayunar, en mi terraza...

Periodista:	Espectacular, sí. Eso es lo mejor.
Celi:	Tener todo el día, con el periódico..., es maravilloso. Eso es empezar bien el día.
Periodista:	Sí..., Celi, es verdad. Una buena mesa, con bollos, mermeladas, de todo... Mmmm.

3.

Periodista:	Teresa, de Barcelona, hola...
Teresa:	Hola, buenos días.
Periodista:	¿Qué tal? ¿Qué nos dices?
Teresa:	Mira, yo, por las mañanas, de lunes a viernes, es un desayuno rápido, corriendo... Fatal, horrible.
Periodista:	Sí...
Teresa:	Por eso, cuando llega el fin de semana, me encanta cuando mi pareja me trae el desayuno a la cama, con mi zumo de naranja, mi cafecito, mis tostadas... Tengo un bebé de siete meses, y me lo traigo a la cama, mientras desayuno se me queda dormido, y ¿tú sabes el placer, estar desayunando ahí con tu bebé al lado, con los ojitos, la sonrisa enorme...? Es un placer, es maravilloso.
Periodista:	Y tanto...

Agencia ELE

Se alquila piso. Sergio y Paloma miran pisos. Escucha y lee 38

Paloma: ¿Y dónde están los muebles?
Empleado 1: Son esos.
Sergio: ¿Y esa puerta es de la cocina?
Empleado 1: No, la del baño.
Sergio: ¿Y eso qué es? ¿Un armario?
Empleado 1: No, eso es la cocina.

Empleado 2: ...Primero vamos a ver el piso, después la piscina y por último el garaje. ¿El piso es para ustedes dos?
Paloma: Sí, señor.
Sergio: ¿Y cuánto cuesta el alquiler?
Empleado 2: 1600 euros al mes, con tres meses por adelantado.

Paloma: ¿Se puede fumar aquí?
Empleado 2: Lo siento, no se puede. Está prohibido.
Sergio: ¿La piscina es solamente para los vecinos?
Empleado 2: Sí. Bueno, se puede venir con amigos, pero hay que hablar con el portero.

Paloma: Ese piso está muy bien, pero..., ¡es muy caro!
Sergio: Sí. ¡Qué difícil es encontrar un piso en condiciones a un precio razonable!
Paloma: Sí, es verdad. Pero creo que no hay que ver más pisos. Ya tenemos suficiente información.
Sergio: Sí. Creo que el reportaje va a ser muy interesante... ¡Ah! ¿Quieres un caramelo? Es bueno para no fumar...
Paloma: No, gracias.

Entre líneas

5. ¿En qué orden? 39

c) Escucha las grabaciones. ¿En qué orden hacen las cosas los personajes?

1. [Ruido de un cajero automático al sacar billetes / ruido de gente en el supermercado / ruido de una lavadora.]

2. [Ruido de una aspiradora / ruido de una olla exprés, de aceite en una sartén / ruido de platos y agua.]

3. [Ruido de una ducha / ruido de café en una cafetera y platos / ruido de una puerta de armario y de perchas que se corren para buscar ropa.]

Entre líneas

6 ¡Qué casa! 40

b) Ahora escucha las descripciones y comprueba. ¿Es lo que tú pensabas?

1. Mi nueva casa es céntrica, tranquila y está bien comunicada, con metro y autobús muy cerca. ¡Qué contenta estoy!

2. Tengo muebles nuevos en el salón. Los colores son muy bonitos: un sofá azul y una mesa amarilla, con sillas azules y amarillas.

3. Me gusta mucho la nueva cocina de la casa de Juan. Es moderna y está bien equipada. La nevera y la lavadora son nuevas, grandes, muy elegantes, de color blanco. Pero el salón es un poco pequeño. ¡Y no tiene televisión, ni DVD!

4. Las estanterías del despacho son marrones, y la mesa es blanca. Para la silla, ¿qué color es mejor?

En línea con

1. Casas con estilo 41

c) Escucha a dos personas hablar de sus casas. ¿Qué fotos relacionas con cada una?

1. Mi casa es mi refugio y el de mi familia, mi mujer y mis tres niños. En ella encontramos calor y alegría. Siguiendo un estilo bastante tradicional de mi país, en el interior, la casa está llena de colores muy vivos en las paredes y también en el techo: el salón es azul y naranja; el baño verde, los dormitorios en distintos tonos de rosa o amarillo y la cocina amarilla. Además, me gustan mucho los muebles y los objetos decorativos, así que tengo muchas cosas: grandes muebles de madera y muchas piezas de artesanía mexicana para llenar los diferentes espacios. Las ventanas son grandes y además tenemos un pequeño patio lleno de plantas y de luz..., y también de color: el suelo es azul y rojo.
2. Yo soy escritor y, claro, mi casa es también mi lugar de trabajo. Por eso necesito vivir en un lugar tranquilo donde pueda concentrarme y trabajar pero también relajarme... Para mí también era esencial tener aire fresco y mucha luz natural. Por eso para mí es perfecto este estilo de las casas de la isla... Y esta casa es así: sencilla, luminosa, nada me distrae. No tengo muchos muebles ni adornos..., me gustan las formas simples, producen armonía y paz. El blanco que domina todo y los materiales naturales crean una atmósfera de comodidad y relax. Y el paisaje..., la casa con varios espacios abiertos, como habitaciones exteriores o terrazas, es parte del paisaje, una continuación de la luz del mar, que casi lo puedo sentir dentro.

Primera línea

2. ¿Dónde trabajan? 42

a) Vas a oír a cinco personas que hablan de su trabajo. Relaciona los nombres con el lugar donde trabajan. ¡Atención! Uno de los personajes trabaja en dos lugares diferentes.

Me llamo Ana. Soy enfermera y trabajo en un hospital. Es un trabajo duro, pero ayudar a la gente es muy bonito.

Me llamo Pedro. Soy funcionario del Ministerio de Economía. Trabajo en una oficina, en el departamento de Créditos. Es un trabajo muy tranquilo, a veces un poco aburrido.

Soy Julián, y soy profesor de literatura en un instituto de Bachillerato. Es un trabajo interesante y me gusta, pero a veces es difícil.

Soy Susana, y soy camarera en un restaurante muy bueno. De mi trabajo me gusta el contacto con la gente, pero los horarios son muy malos porque trabajo por las noches.

Me llamo Andrés. Soy periodista y trabajo a veces en casa, y a veces en la redacción de mi revista: *Primera Línea.*

Primera línea

3. ¿Qué hacen en su trabajo? 43

a) y b) Vas a oír a los personajes del ejercicio anterior hablando de su trabajo. Antes de escuchar, piensa un momento: ¿cuáles de estas cosas crees que hace cada uno?

Ana: En el hospital, hay que trabajar en equipo con el médico y las demás enfermeras. Eso es lo más bonito.

Pedro: Trabajo solo, pero todos los días hablo por teléfono con mucha gente y respondo correos electrónicos. También escribo cartas y muchos informes. No me gusta mucho mi trabajo, la verdad. Me gustaría cambiar de departamento.

Julián: Tengo 18 horas de clase a la semana. Además, a veces voy a congresos sobre literatura del Siglo de Oro. Es mi especialidad. ¿Lo que menos me gusta de mi trabajo? Corregir exámenes y deberes.

Susana: Me gustaría tener mi propio restaurante. Por eso hago cursos de formación sobre cocina y hostelería. También es importante viajar y conocer restaurantes famosos, en España y fuera de España.

Andrés: En mi trabajo, a veces hay que viajar para hacer entrevistas, reportajes... También hablo mucho por teléfono para hacer entrevistas.

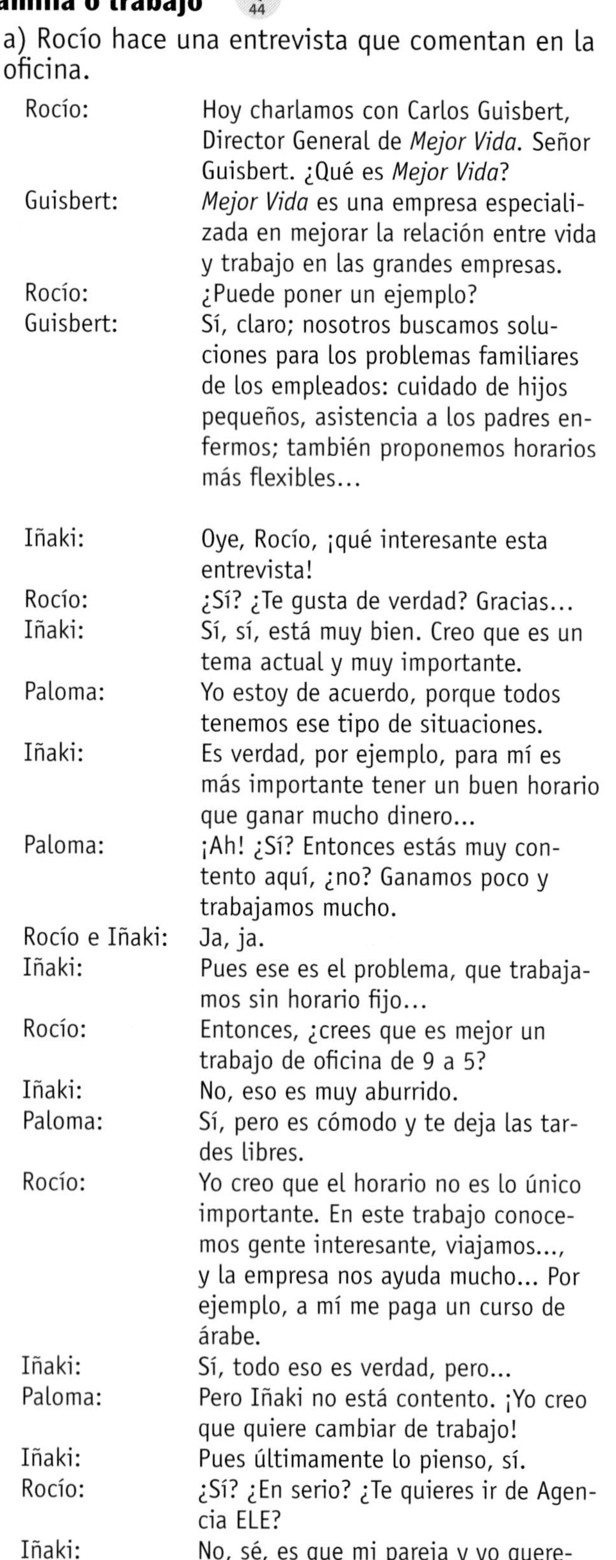

Agencia ELE

Familia o trabajo 44

a) Rocío hace una entrevista que comentan en la oficina.

Rocío: Hoy charlamos con Carlos Guisbert, Director General de *Mejor Vida*. Señor Guisbert. ¿Qué es *Mejor Vida*?

Guisbert: *Mejor Vida* es una empresa especializada en mejorar la relación entre vida y trabajo en las grandes empresas.

Rocío: ¿Puede poner un ejemplo?

Guisbert: Sí, claro; nosotros buscamos soluciones para los problemas familiares de los empleados: cuidado de hijos pequeños, asistencia a los padres enfermos; también proponemos horarios más flexibles...

Iñaki: Oye, Rocío, ¡qué interesante esta entrevista!

Rocío: ¿Sí? ¿Te gusta de verdad? Gracias...

Iñaki: Sí, sí, está muy bien. Creo que es un tema actual y muy importante.

Paloma: Yo estoy de acuerdo, porque todos tenemos ese tipo de situaciones.

Iñaki: Es verdad, por ejemplo, para mí es más importante tener un buen horario que ganar mucho dinero...

Paloma: ¡Ah! ¿Sí? Entonces estás muy contento aquí, ¿no? Ganamos poco y trabajamos mucho.

Rocío e Iñaki: Ja, ja.

Iñaki: Pues ese es el problema, que trabajamos sin horario fijo...

Rocío: Entonces, ¿crees que es mejor un trabajo de oficina de 9 a 5?

Iñaki: No, eso es muy aburrido.

Paloma: Sí, pero es cómodo y te deja las tardes libres.

Rocío: Yo creo que el horario no es lo único importante. En este trabajo conocemos gente interesante, viajamos..., y la empresa nos ayuda mucho... Por ejemplo, a mí me paga un curso de árabe.

Iñaki: Sí, todo eso es verdad, pero...

Paloma: Pero Iñaki no está contento. ¡Yo creo que quiere cambiar de trabajo!

Iñaki: Pues últimamente lo pienso, sí.

Rocío: ¿Sí? ¿En serio? ¿Te quieres ir de Agencia ELE?

Iñaki: No, sé, es que mi pareja y yo queremos adoptar un niño y...

Entre líneas

3. El curso de Rocío (45)

a) Rocío busca un curso de árabe. Escucha a Rocío y completa las fichas de los cursos.

A ver, a ver, este, sí, *Academia Al-Andalus, aprende árabe en Marruecos,* ¡qué bien! Y sólo dura quince días, ¿Cuánto cuesta? ¡1800 €, qué barbaridad! No, no, necesito uno más barato...
A ver otro *Primero de árabe, Escuela Oficial de Idiomas,* suena bien, sí de octubre a ¡¡junio!! ¡Uy no! Este dura demasiado y, sí, es más barato que el de *Al Andalus,* solo 120 €, pero...
¿Y este otro? Un curso *on line,* por Internet, no es mala idea; 300 €: es más caro que el de la Escuela Oficial, pero dura menos tiempo, no sé, sin profesor...
¡Este suena bien! *Pandilinguas, Árabe intensivo.* ¿Cuánto dura? 120 horas, tres horas al día, es más intensivo, sí y..., ¿cuánto cuesta? 600 €, bueno, es más caro, pero...

En línea con

2. La situación laboral en España (46)

a) Vas a oír un programa de radio sobre el empleo en España. Hay cuatro entrevistas diferentes. Escucha y relaciona los nombres con las informaciones. Antes de escuchar, lee las frases y pregunta al profesor las palabras que no entiendas.

Locutor: Bienvenidos a nuestro programa. Esta mañana vamos a hablar del empleo. De la calidad del empleo. Porque, ¿se puede vivir con situaciones como estas?
Pedro: Me llamo Pedro y soy de Madrid. Tengo treinta años, soy Licenciado en Humanidades, tengo un máster en Gestión Cultural, y ahora mismo trabajo de chófer en una empresa. Y nada, estoy esperando, a ver si puedo encontrar un trabajo de mi carrera y cambiar lo que estoy haciendo ahora mismo.
Locutor: Historias como esta son frecuentes en nuestro país. Este ejemplo y los que vamos a oír a continuación llevan a una conclusión realmente preocupante: hoy en día se puede tener un trabajo y ser pobre al mismo tiempo. Vamos a ver un ejemplo. Rubén Sánchez, de Valencia. Rubén, buenos días.
Rubén: Hola, buenos días.
Locutor: ¿Cuántos años tienes, Rubén?
Rubén: 26.
Locutor: 26 años, y trabajas ¿de?
Rubén: Soy informático en una empresa.
Locutor: ¿Y cuánto cobras?
Rubén: 920 euros al mes.
Locutor: 920. No llegas a mil euros al mes.
Rubén: Sí, eso es.
Locutor: Vamos a ver otro ejemplo. Ana, desde Granada, buenos días.
Ana: Hola, buenos días.
Locutor: Hola, Ana, ¿qué tal? Tú tienes 30 años, ¿verdad?
Ana: Sí, sí.
Locutor: Eres licenciada en Historia...
Ana: Sí.
Locutor: ¿Y trabajas de...?
Ana: Soy cajera en un centro comercial.
Locutor: Cajera en un centro comercial. ¿Hace cuánto tiempo?
Ana: Ehh... Un año y medio o algo así.
Locutor: ¿Con contrato indefinido?
Ana: No, no, con contratos temporales.
Locutor: Ya. María, desde Bilbao, buenos días.
María: Buenos días.
Locutor: Tienes una hija de cuatro meses, trabajas de asistente social y cobras... ¿cuánto?
María: 1018 euros.
Locutor: 1018. ¿Y puedes conciliar vida familiar y laboral?
María: No.
Locutor: No. Imposible.
María: No. Tengo muchos problemas.
Locutor: Tienes muchos problemas. Bueno, os voy a pedir a todos que escuchéis a nuestros expertos invitados esta mañana...

En línea con

2. La situación laboral en España (47)

b) Escucha ahora la continuación del programa. Una experta habla de la situación laboral en España, los principales problemas y los grupos sociales con más dificultades.

Locutor: Vamos con las cifras. Eva Aguado, jefa de Estadística de nuestra emisora, buenos días.
Eva: Buenos días.
Locutor: ¿Qué tal, Eva? Cuéntanos.
Eva: ¿Qué tal? Pues en este momento, España es uno de los países más dinámicos de la Unión Europea. En los tres últimos años, se han creado más de dos millones de empleos y el paro ha bajado en doscientas mil personas. Las mujeres y los inmigrantes son los protagonistas de este progreso. En los últimos años, muchas mujeres y muchos inmigrantes se están incorporando al mundo del trabajo en España. Pero las mujeres y los inmigrantes también son, junto a los jóvenes, los grupos que tienen más problemas. Hay el doble de paro entre las mujeres que entre los hombres, las mujeres españolas cobran un 15% menos que los hombres; además, tienen más problemas que los hombres para conciliar trabajo y vida personal. Otro grupo con problemas es el de los inmigrantes. Los inmigrantes cobran un 30% o un 40% menos que los españoles. Y otro problema también muy importante son los contratos temporales. La situación está cambiando, pero todavía más de cinco millones de trabajadores tienen contratos temporales en España. El porcentaje español es el doble del europeo.

Primera línea

3. ¿Cuánto cuesta? 48

a) Escucha y completa las listas de la compra.

1. ¿Vas a hacer una tortilla de patatas para la fiesta? Hay que comprar patatas. Compra cuatro kilos. Y compra también una docena de huevos y un kilo de cebollas.

2. Juan, ¿vas al supermercado? Pues trae una botella de Rioja, que viene tu madre a comer. Y acuérdate de las cosas que faltan: ocho yogures, tres kilos de tomates y cuatro cartones de zumo de naranja.

3. Para el desayuno, un paquete de pan de molde, dos cartones de leche y un bote de mermelada. Y seis flanes de huevo, que se han terminado.

Agencia ELE

Fiesta de Navidad en la Agencia ELE 49

a) El día de Navidad está cerca, y en la Agencia ELE hay una pequeña fiesta. Escucha y lee.

Luis: No me gustan las navidades. Todo es muy caro. Y este año, más caro que nunca.
Sergio: Sí, es verdad. Pero me gusta la fiesta de la empresa. Es agradable estar con los compañeros sin trabajar.
Carmen: Sergio, ¿qué tal las compras para la fiesta de esta tarde? ¿Está todo preparado?
Sergio: Sí, todo. Bueno, hay que comprar platos y vasos de papel.
Carmen: ¿Puedes ir tú a comprarlos? En la tienda de abajo, al lado del estanco.
Sergio: De acuerdo.
Dependiente: ¿Qué desea?
Sergio: ¿Tienen platos y vasos de papel?
Dependiente: Sí. ¿Qué tal estos? Son muy resistentes.
Sergio: Los vasos, bien. Pero los platos son un poco pequeños. ¿No tienen más grandes?
Dependiente: Sí, aquellos.
Sergio: ¿Cuánto cuestan?
Dependiente: Un paquete, dos euros.
Sergio: Vale. Me llevo estos platos, y esos vasos.
Dependiente: ¿Cuántos vasos quiere?
Sergio: Tres paquetes, por favor.
Dependiente: Muy bien. ¿Algo más?
Sergio: No, nada más. ¿Cuánto es todo?
Dependiente: Dos paquetes de platos y tres paquetes de vasos... Son diez euros con cincuenta.
Dependiente: Hasta luego. ¡Feliz Navidad!
Sergio: ¡Gracias, igualmente!

Uno de los empleados: ¡Salud!
Dos o tres empleados, todos a la vez: ¡Salud!

Entre líneas

1. Fórmulas sociales 50

Escucha y escribe tu respuesta a lo que dicen estas personas.

1. Toma, esto es para ti. ¡Feliz cumpleaños!
2. Por nosotros. ¡Salud!
3. ¡Feliz año nuevo!
4. Adiós, hasta el lunes. ¡Buen fin de semana!

4. Un poco / muy / más 51

b) Escucha a estas personas. ¿Qué frase corresponde a lo que dice cada uno?

1. Comprar en Navidad es muy caro. Por eso no me gusta.
2. Este año, comprar en Navidad es más caro que el año pasado.
3. Estos platos son más bonitos que esos. Me gustan más.
4. Estos platos son muy pequeños. No los quiero.

e) Escucha estas conversaciones. ¿Qué prenda de las de arriba va a comprar el cliente? 52

1. Cliente: ¿Cuánto cuestan los pantalones?
Dependiente: ¿Cuáles? ¿Los vaqueros?
Cliente: Sí, esos. Me gustan más.

2. Dependiente: ¿Qué desea?
Cliente: Una camisa para mí, por favor.
Dependiente: Mire, estas están de rebajas.
Cliente: La marrón no me gusta. Es un poco clásica. La otra es más moderna.

3. Clienta: La camiseta de manga corta no me gusta mucho. La otra es un poco cara, pero me gusta más.
Dependiente: ¿La amarilla?
Clienta: Sí, esa. Quiero la amarilla.

4. Cliente: Buenos días, quería una bufanda para una chica joven.
Dependiente: ¿Qué le parece esta de rayas?
Cliente: Sí, es muy bonita. ¿Cuánto cuesta?

En línea con

1. Compras de Navidad 53

c) Vas a oír el comienzo de un programa de radio sobre las compras de los españoles en navidades. Escucha y comprueba el orden de los cuatro productos de b). Escribe también cuánto gastan los españoles en cada cosa.

Locutor: Estamos en navidades, y este es un momento, ya lo saben, de compras y de regalos, y nos gustaría ayudarles a gastar menos dinero, a ahorrar y proteger nuestra economía. Estas navidades, cada español va a gastarse, nos vamos a gastar, unos 950 euros, que no está nada mal. Gastamos sobre todo en alimentación y bebidas, unos 280 euros en total, unos 120 en juguetes para los niños, 115 en ocio, y 150 en lotería.

2. Formas de pago

54

a) En el mismo programa de radio, un experto habla de las ventajas e inconvenientes de pagar las compras en efectivo y con tarjeta. Escucha y escribe una ventaja y un inconveniente de cada forma de pago.

Locutor: Vamos a pedir consejo a Jesús Calderón, nuestro experto. Jesús, ¿es mejor pagar con tarjeta o en efectivo?

Jesús: Hombre, si se puede, es mejor pagar en efectivo, lo que pasa es que las tarjetas son muy cómodas. El problema de las tarjetas es sobre todo cuando usamos tarjetas de crédito. Tarjetas que nos permiten pagar más tarde, el mes siguiente o en los meses siguientes, y que muchas personas creen que no van a pagar nunca, que no tienen que pagar. Por eso, algunas personas gastan un 30% más de dinero con la tarjeta. Un 30% más, porque piensan que no tienen que pagar. Sobre todo cuando se usan tarjetas de crédito. Por eso, para algunas personas que tienen problemas, se dice que es mejor usar tarjetas de débito, porque pagamos las compras en el mismo momento, inmediatamente. Con las tarjetas de débito es más fácil controlarse. Por eso, cuidado con las tarjetas de crédito, sobre todo en las navidades. Mejor pagar con tarjetas de débito.

Locutor: Entonces, ¿gastamos más dinero si llevamos tarjeta? ¿La tarjeta hace gastar más dinero?

Jesús: Bueno, es muy difícil saber la cantidad exacta, pero no hay duda, es decir, el llevar tarjeta hace que se compre de una forma mucho más alegre y fácil, por dos razones: en primer lugar, si pagamos en efectivo sabemos cuánto gastamos; y en segundo lugar, más importante, con la tarjeta podemos gastarnos el dinero que no tenemos, que eso es lo más peligroso, ¿no? Gastar un dinero que en realidad no tenemos.

d) Escucha el final del programa. ¿Qué consejo dan sobre las tarjetas de crédito?

55

Locutor: ¿Usted aconseja dejar la tarjeta en casa en las navidades?

Jesús: Bueno, no, eso no... Bueno, en casos extremos de personas con muchos problemas para controlarse, puede ser una buena idea dejar la tarjeta en casa, sí. Pero para personas más «normales», es suficiente saber cuánto pagan con la tarjeta, escribir el dinero de las compras con la tarjeta. Eso, si se hace bien, es un control perfecto para muchas personas.

Locutor: Bueno, pues Jesús Calderón, profesor de psicología de la compra del consumidor, muchísimas gracias, buenos días.

Jesús: Gracias a ustedes.

Agencia ELE

Campeones 56

a) Sergio y Rocío están preparando un reportaje sobre jóvenes campeones del deporte español. Comentan la información sobre el piloto Fernando Alonso y el tenista Rafa Nadal.

Rocío: Mira, Sergio, ya tengo la información de Rafa Nadal, ¡y las fotos!
Sergio: Estupendo, yo también tengo los datos de Fernando Alonso, ¿lo vemos juntos?
Rocío: Sí, vamos.

Rocío: Pues, fíjate, Nadal empezó a jugar a los 4 años, mira esta foto de pequeño, y ganó su primera competición oficial a los 8. Increíble, ¿verdad?
Sergio: Pues como Alonso, que empezó a correr en *Karts* a los 3 años y su primera victoria en un campeonato fue a los 7 años.
Rocío: Mira, ¡qué pequeño! Por cierto, ¿en qué año nació Alonso?
Sergio: Nació en..., un momento..., en 1981. ¿Y Nadal? Es más joven, ¿no?
Rocío: Sí, un poco, nació en el 86.
Sergio: La verdad es que los dos tienen una carrera deportiva excepcional. ¡Alonso fue el piloto más joven en ganar un gran premio de Fórmula 1! Lo ganó en..., 2003. Y en 2005, con 22 años, hizo historia como el piloto más joven en ganar el campeonato mundial.
Rocío: ¡Ah! Sí, me acuerdo, y recibió el Premio Príncipe de Asturias de los Deportes ese año, ¿no?
Sergio: Sí y además volvió a ser campeón del mundo en 2006... Nadal también triunfó muy joven, ¿no?
Rocío: Sí, también en 2005 ganó su primer trofeo de Grand Slam, en París. Mira, aquí, con 19 años...
Sergio: ¡Que joven!
Iñaki: Hola, ¿de qué habláis?... ¡Ah, de Rafa Nadal!... ¿Sabéis que lo conozco?
Rocío: ¿Sí? ¿En serio?
Iñaki: Sí, es que estuve en París en la final del 2007.
Rocío: ¡Ah! Lo viste jugar...
Iñaki: No, no, lo conocí y hablé con él. Estuvimos juntos en la fiesta con la prensa.
Sergio: ¡Qué suerte! ¿Tienes fotos?
Iñaki: Sí, me hice alguna foto con él, pero no la tengo aquí. Luego te la envío por correo electrónico.

Entre líneas

2. El pretérito indefinido 57

b) Escucha y comprueba. Escucha otra vez y señala la sílaba acentuada de cada verbo.

Empezó	Llegó	Ganó	Habló
Jugó	Venció	Nació	Conocí
Vi	Recibió	Escribí	Fue
Tuvo	Fui	Hice	Estuve

En línea con

2. Tienda de recuerdos 58

b) Vas a escuchar a tres personas hablar sobre los recuerdos que les gusta comprar en sus viajes. Después, relaciona las personas con un tipo de comprador.

1. A mí en los viajes me gusta mucho entrar en las tiendas de regalos, bueno, sobre todo en las de artesanía tradicional y casi siempre compro el mismo tipo de cosas: instrumentos musicales, juguetes tradicionales... Por ejemplo, instrumentos tengo muchísimos: flautas, maracas, tambores... Porque, además, mis amigos, como saben que me gustan, casi siempre me traen alguno de sus viajes.

2. Yo siempre compro regalitos para la familia, claro, pero, eso sí, me gusta comprar cosas útiles, que puedan utilizar cada día y así se acuerdan de mí. Pues, no sé, camisetas, cosas para la cocina, delantales, paños. ¡Ah! Y también para escribir: cuadernos, bolígrafos...

3. A mí no me gusta comprar regalos en los viajes, se pierde mucho tiempo y prefiero hacer otras cosas: pasear, visitar museos... Pero, claro, a mis padres les tengo que comprar algo y siempre acabo comprando tonterías en el último minuto: imanes para el frigorífico o figuritas de monumentos...

Agencia ELE

Inmigrantes de hoy, emigrantes de ayer 59

Rocío y Paloma están preparando un reportaje sobre españoles que van a otros países y sobre extranjeros que vienen a España.

Luis: ¿Dónde vas hoy?
Rocío: Tengo una entrevista para un reportaje sobre «inmigrantes de hoy, emigrantes de ayer». Voy a hablar con dos españoles que vivieron un tiempo fuera de España, y con dos extranjeros que viven en España.
Luis: ¿Vas sola?
Rocío: No, Paloma viene para hacer unas fotos.

Rocío: Primero hacemos las fotos, y después las entrevistas, ¿de acuerdo?
Manolo: Sí, muy bien.
Véronique: Vale.
Rocío: ¿Cuándo se fue usted a Alemania?
Manolo: En 1965. Pero oye, trátame de «tú», que no soy tan viejo...
Rocío: Vale. ¿Y por qué eligió usted...? Perdón: ¿por qué elegiste irte de España?
Manolo: Para ganar más dinero. Trabajé en una fábrica en Alemania durante diez años.
Rocío: ¿Y cuándo volviste a España?
Manolo: En 1975, un mes antes de la muerte de Franco.
Rocío: Susana, ¿por qué te fuiste a Irlanda?
Susana: Me fui cuando terminé la carrera, para hacer el doctorado.
Rocío: ¿Y cuánto tiempo estuviste allí?
Susana: Unos cinco años, de 2002 a 2007.
Rocío: Aboubakar, ¿por qué viniste a España?
Aboubakar: Vine para estudiar en la universidad.
Rocío: ¿Y cuándo llegaste?
Aboubakar: Hace un año y medio.
Rocío: Véronique, ¿qué haces en España?
Véronique: Soy profesora de francés.
Rocío: ¿Y por qué elegiste Madrid?
Véronique: Yo soy francesa, de París. Después de la universidad, quise tener una experiencia de trabajo en el extranjero. Vi un anuncio en un periódico, pedí el puesto y..., ¡aquí estoy!

Entre líneas

3. Experiencias en el extranjero 60

Escucha y completa estos relatos de Manolo, Susana y Véronique.

1. Trabajé en una fábrica en Alemania durante 10 años. Cuando tuve suficiente dinero para crear mi propia empresa, volví a España. Eso fue en 1975.

2. Me fui a Irlanda cuando terminé la carrera. Allí estudié y trabajé en la universidad durante cuatro años.

3. Cuando terminé la universidad, quise tener una experiencia de trabajo en el extranjero. Busqué trabajo durante unos meses, y al final lo encontré. Ahora doy clases de francés en Madrid.

4. ¿Antes o después? 61

b) Escucha el relato de Rocío y ordena las cosas que hizo ayer.

Ayer trabajé muchísimo. Por la mañana tuve una reunión con Sergio y Luis, y luego fui con Paloma a entrevistar a cuatro personas para un reportaje sobre «emigrantes de hoy y de ayer». Volví a la agencia a las 13.30 y empecé a escribir el reportaje. Comí con Sergio, Luis y Paloma, y hablamos de un reportaje que vamos a hacer la semana que viene. A las 16.00 volví a la oficina. A las 17.30 llamé por teléfono a Aboubakar D'Diaye, para preguntarle unos detalles. A las 19.00 terminé el reportaje de los emigrantes y lo entregué a la jefa. A las 19.00 salí de la agencia y me fui a casa.

En línea con

1. Como en mi pueblo... 62

Escucha la explicación de Ulrike, una ciudadana suiza que vive en España desde hace años. ¿Qué sentido tiene realmente el refrán? Selecciona el más adecuado.

Ulrike: No sé por qué los españoles dicen esto. Ellos creen que su pueblo de origen siempre es el mejor del mundo. No puede ser que todos los pueblos de España sean los mejores del mundo, pero ellos se lo creen. Pero esto es porque no han visto muchos otros pueblos...
Locutora: Sí, eso puede ser...

2. Una suiza en España 63

a) Vas a oír un fragmento de una entrevista de radio con Ulrike, la suiza de la actividad anterior. Escucha la primera parte de la entrevista y contesta:

Locutora: Tú vives en Madrid...
Ulrike: Sí, vivo en Madrid.
Locutora: Y llegaste allí en un momento clave para un periodista, justo antes de la muerte de Franco. Viviste la Transición...
Ulrike: Sí. Vine muy joven, vine muy joven, y viví momentos muy importantes para una periodista que viene de un país muy estable, muy sólido, como es Suiza.
Locutora: ¡Hombre, claro! ¿Te acuerdas de algún momento especial?
Ulrike: Por ejemplo, estuve en el Parlamento, el 23 de febrero del 81.
Locutora: ¿El 23-F estuviste en el Parlamento?
Ulrike: Sí, sí... Y pude vivir también otros momentos muy importantes, y estoy muy agradecida. Pero ahora en España no hay

crisis, ni cambio de gobierno, ni nada. El país es tan estable, que parece Suiza. Mejor para los españoles, pero para los periodistas que escribimos sobre temas políticos hay menos temas de Primera Página.

Locutora: Oye, y cuando te retires, ¿vas a quedarte en España, volverás a Suiza, o qué piensas hacer?

Ulrike: Me voy a quedar aquí, porque mis hijos quieren vivir aquí. Les gusta más España, y no tengo ninguna razón de regresar permanentemente a Suiza. Solo para ver amigos, para ver el país... De vacaciones.

c) Escucha la grabación y comprueba las respuestas. 

Locutora: Entonces, tú tienes tres hijos, y los tres quieren quedarse en España.

Ulrike: Sí...

Locutora: ¿Qué dicen de Suiza? ¿Qué les parece?

Ulrike: Bueno, en Suiza es un poco más difícil acostumbrarse a las relaciones humanas. Son un poco más distantes, un poco más modestos, un poco más tranquilos..., más fríos, si quieres.

Locutora: ¿Más aburridos?

Ulrike: Son más tímidos, no se abren tan fácilmente como aquí, no hay un contacto físico como en España... Bueno, la gente es un poco más distante. Es otro tipo de sociedad. Y el clima tampoco... El clima es la razón para muchos suizos de vivir en España.